JN081231

世界が面白くなる！
身の回りの

Getting more interesting
for the world!
Sciences around us.

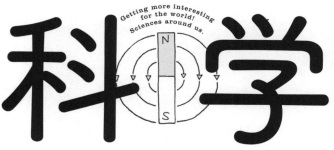

科学

京都産業大学理学部教授 二間瀬敏史 Futamase Toshifumi

あさ出版

はじめに

　はじめまして。宇宙物理学者の二間瀬敏史です。

　この本を手に取ってくださったみなさんは、科学が好きでしょうか？

　私の娘は高校で物理を履修していますが、常々「物理なんかなくなればいい」と言っています。「なぜ物理を選択したの？」と聞くと、「生物はもっと面倒くさいから」と言うのです。

　家人は、私が物理学者であることや仕事として物理学の研究をしていることが全く理解できないよう。

　とはいえ、彼女たちが物理学だけでなく、科学の恩恵にあずかっていることは疑いのない事実。おそらく、恩恵にあずかっている科学と、学校で学ぶ科学が全く結びついていないため、「物理なんかなくなればいい」というセリフが出てくるのでしょう。

　だからといって、「科学を深く知りなさい」とお説教するわけではありません。なぜなら、科学が使われている物事の仕組みを知らなくても、生きていくうえで何の不都合もないからです。

　たとえば、次のことは科学の恩恵にあずかっていますが、これらの仕組みを知らなくても何も問題はありません。

● なぜ、電子レンジは食べものを温められるのかのか？
● なぜ、カーナビが目的地に連れて行ってくれるのか？

また、仕組みが分かったところで、自分で修理することは困難でしょう。

　先日、我が家の冷蔵庫が冷えなくなりました。私は物理学者で、冷蔵庫の仕組みを知っていますが、直すことはできません。しかし、業者の人はあっという間に直していきました。それを見ていた家人は、言いました。

「あなた、科学者なんでしょう。なぜ直せないの？」

　このような反応は、家人に限ったことではありません。

　私の娘や家人のように、科学は生きていくうえで必要不可欠でないというイメージがあるでしょう。しかし、科学は私たちの身の回りにたくさん存在しており、生活を快適なものにしてくれているのです。

　本書では、そんな身の回りにある科学についてお話するとともに、「相対性理論」や「シュレーディンガーの猫」、「超弦理論」など、難解とされている科学についても言及しています。今まで科学が苦手だった方にも、科学が好きな方にも楽しんでいただけると幸いです。

　本書でお話したことは、あなたに新しい考えや視点を授け、身の回りの見方が変わることで、世界が面白く見えるきっかけとなるでしょう。

二間瀬敏史

はじめに　2

Chapter 1

「科学ってなんで勉強するの?」と 思っていませんか?

1・身の回りには「科学」があふれている　14

2・あらゆる場所に多く存在する電磁波　16
電磁波は私たちの周りを飛び交っている科学
周波数によって電磁波の性質が変わる

3・虹はなぜ7色なのか?　20
虹にも電磁波が関係している
人間には見えない「光」

4・コンピュータは0と1で動いている　22
2が10で、3が11!?

5・機械学習と人間の脳の仕組み　24
人間の脳内における情報伝達の仕組み
人間の脳を模してつくられたAI

⑥・夏から秋にかけて活発になる台風　28

南半球の台風と赤道の台風
台風の回転を決める地球の自転とコリオリ力

⑦・私たちは暗号で守られている　34

暗号に使われている素数
公開鍵暗号のカギとなる素因数分解

⑧・なぜ水素で自動車が動くのか　40

水素で自動車が動く仕組み
物質を構成する原子
元素と原子の違い

⑨・人類に脅威を与える地震　46

2種類の地震と日本付近のプレート
地震の大きさを表すマグニチュードと震度
なぜ、2種類のマグニチュードを使うのか?

⑩・生命の仕組み　54

遺伝学の第一歩を打ち出したメンデルの法則
遺伝情報を伝達するDNAの発見

⑪・そもそも「科学」って何?　58

「科学者」ってどんな人?
科学と自然科学の違い
結局、科学は何の役に立つの?

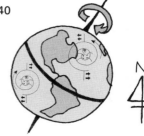

Chapter 2

科学の歴史と科学者

1・科学は科学によって証明される　64

リンゴの落下と偉大な発見
万能と思われていた「万有引力の法則」
間違っている理論でも使うことができる

2・現代文明に不可欠な電磁波の発見　68

知的好奇心から電磁誘導を発見
電磁波は役に立たないと思われていた

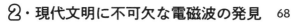

3・コンピュータの誕生と進化　74

人間には到底敵わないスピード
万能に思えるコンピュータにも苦手なことはある
進化し続けるコンピュータはどうなるのか

4・人間に脅威をもたらす感染症の変遷　80

感染症を引き起こす細菌とウイルス
4大感染症
感染症の救世主

5・DNA構造の発見とライバルたち　85

DNAの解明は早い者勝ちだった
DNA構造が明らかになった

⑥・古代ギリシアから続く原子論　89

原子構造の解明と原子核の発見
原子核はどこまで分解できるのか?

⑦・地球の生誕と構造　96

地球はどのように生まれたのか
地球の構造

⑧・地震によって発展した地球の構造の解明　102

大陸移動説を提唱するも受け入れられず……
大陸移動説の発展から海洋底拡大説の証明へ
プレートテクトニクスによって証明された大陸移動説

⑨・相対性理論とアインシュタイン　108

相対性理論をつくったアインシュタインは怠け者?
ミンコフスキーとアインシュタイン

⑩・ミクロな世界を支配する量子力学　111

「量子力学」って何?

⑪・素数の魅力　114

ギリシア時代にはじまった素数の研究
素数に魅せられた科学者たち

⑫・数学と音楽　119

ヴァイオリンと調和級数

Chapter 3

身の回りにある科学の仕組みと
不思議な科学

1・日常生活に欠かせない電化製品　124

食べものを温める電子レンジの仕組み

やかんや鍋の水を沸騰させる電磁調理器

2・火星の夕焼けは何色?　127

そもそも、地球の昼間の空が青いのはなぜ?

光は私たちの目に届く前に散り散りになっている?

火星と地球は似て非なるもの

column 雲が白く見えるのはなぜ?　132

3・顔のパーツを数値化して照合する
　顔認証システム　134

顔にかざすだけでロックが解除される仕組み

4・エンドウ豆からスタートした遺伝学　138

親から子、子から孫への遺伝のルール

1. 分離の法則

2. 顕性の法則

3. 独立の法則

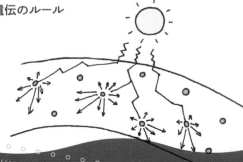

5・私たちを形づくる遺伝子　143

遺伝子操作の実験

6・アミノ酸を形成する4つの塩基　147

DNAとRNAの構造
アミノ酸の情報は4つの塩基から成り立っている

7・遺伝はたった2段階で行われる　152

1. 転写
2. 翻訳

8・感染症の発症と予防　157

新型コロナウイルスと過去のコロナウイルス
感染症を予防するワクチン

9・mRNAワクチンのメカニズム　161

ワクチンの種類と仕組み
mRNAワクチンは従来のワクチンと何が違うのか

10・GPSの仕組み　165

宇宙にある衛星から情報を獲得するGPS
コリオリ力とジャイロセンサー
電波の速度と衛生の速度
原子時計だけがあってもGPSは用をなさない

Chapter 4

難しい科学を読み解く

1-1・相対性理論とアインシュタイン　176

時間と空間の常識を覆してできた相対性理論
爆発するはずの爆弾
同時にも「過去」と「未来」がある
「過去」と「未来」は別物
一般相対性理論がついにできた！

1-2・ブラックホールと一般相対性理論　189

ブラックホールの仕組み
ブラックホールから逃げられるのか?

2・シュレーディンガーの猫と量子力学　194

ミクロの世界におけるエネルギーの関係
電子は粒子かつ波でもあることを示した実験
存在は確率的であるのか
ミクロとマクロの境を考えるシュレーディンガーの猫

3・リーマン予想　206

オイラーと素数とガウスの考え方
ガウスの素数定理とリーマン予想
リーマン予想は物理学にも影響を与える

◇ ガウスの素数定理ができるまで
◇ 精度が高いガウスの素数定理

4-1・「万物の根源」の追求から生まれた超弦理論　222

「万物の根源」における論争と原子の存在の解明
ミクロの粒子の種類と働く力
技術の発展と粒子の分類

4-2・現代の物理学者が考える
　　　「万物の根源」と超弦理論　229

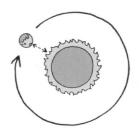

物質の根源である2つの素粒子
ヒッグスの海に存在する生命
素粒子標準モデルから超弦理論へ
時空の本当の次元は?

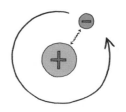

column 重力が逆二乗則に従う　243

おわりに　246

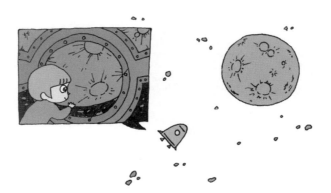

Chapter

1

「科学ってなんで勉強するの?」と思っていませんか?

1

身の回りには「科学」が あふれている

　小学校や中学校では理科、高校では生物や物理、化学、地学といった授業のもと、あらゆる科学的な事象について学んできたことでしょう。

　あまりの難しさに、「なぜ、こんなことを学ばないといけないのか……」と思われたこともあるのではないでしょうか？

　しかし、身の回りを見渡してみると、いたるところに科学は存在しているのです。

　あなたが今読んでいるこの本も、日ごろ使っているスマートフォン（スマホ）も、Googleマップなどに使われているGPS機能も、科学がなければ生まれてきませんでした。

　極めつけは、私たちが存在しているこの世界自体、さらには私たち自身も科学の結晶と言えるのです。

　まずは、私たちが学校で学んだであろう科学をもとに、身の回りにある科学について簡単にお話ししましょう。

15

2

あらゆる場所に
多く存在する電磁波

　今ではほとんどの人がスマホを使っており、その通信速度は4Gから5Gへと大きく変化しています。まさに、通信手段は日進月歩で進化しているのです。

　ここでは、通信に不可欠な科学についてお話ししましょう。

電磁波は私たちの周りを飛び交っている科学

　携帯電話やスマホを使っていて、「あー電波が悪い！」と一度は言ったことがあるのではないでしょうか。

　突然ですが、あなたは「電波」とは何か知っていますか？

　もう1つ質問です。あなたは「電磁波」という言葉を聞いたことがありますか？

　実は、「電波」と「電磁波」は同じものです。

　電波は「電磁波」と呼ばれる電気と磁気の振動が空間を伝わる現象の一種で、携帯電話やスマホだけでなく、Bluetoothイヤホンにも、電子レンジにも、使われています。

　さらに、電磁波は太陽からも発せられています。電磁波は常に私たちの周りを飛び交っているのです。

周波数によって電磁波の性質が変わる

電磁波は、水面に生じる波のような性質をもっており、波が連続して発生して広がるように空間を進んでいきます。1つめの波と2つめの波の間を「**波長**」、1秒間に波打つ回数を「**周波数**」と言い、単位はそれぞれ**m（メートル）**と**Hz（ヘルツ）**で表します。

波が1秒間に10回振動した場合は、10ヘルツとなります。

波と周波数

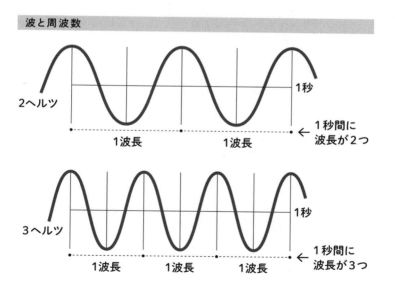

たとえば、電磁波には次のようなものがあります。

●電子レンジやGPSなどに使われている**電波**……約3テラヘルツ以下

●暖房器具から発せられたり、温度を測定できるカメラに搭載されたりしている**赤外線**……約3〜380テラヘルツ

●殺菌したり、日焼けを起こしたりする**紫外線**……約790〜10万テラヘルツ

●レントゲンや空港の手荷物検査などで使われている物を透過する性質をもつ**X線**……約10万〜1,000万テラヘルツ

（1テラヘルツは、1ヘルツの1兆倍）

　このように、周波数によって、できることや機能などが全く違うことが分かってもらえたのではないでしょうか。

　電磁波が使われている電子レンジやGPSなどの仕組みについては、Chapter 3で詳しくお話ししましょう。

電磁波の種類と身の回りのもの

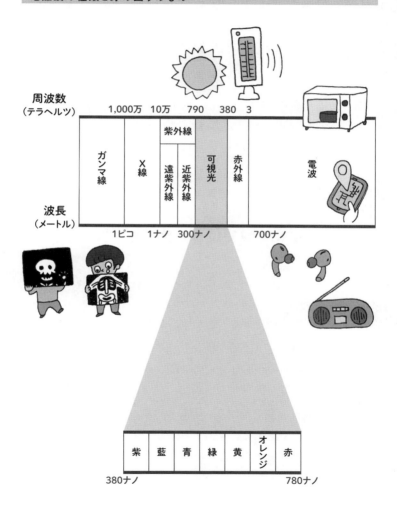

虹はなぜ7色なのか?

あなたは、虹の絵を描くとき何色を使うでしょうか?

多くの人は、「赤・オレンジ・黄・緑・青（水色）・藍（青）・紫」と、7つの色を使って描くことでしょう。

ではなぜ、虹は7色なのでしょうか?

- -
虹にも電磁波が関係している
- -

虹が7色に見えるのには、先ほどお話しした電磁波の光が関係しています。

太陽からの光には、さまざまな色が含まれており、色の違いは光の波長の違いによって起こります。波長には人間の目に見えるものと見えないものがあり、人間の目に見える光を可視光と言います。

人の目は波長の長い順から、「赤→オレンジ→黄→緑→青→藍→紫」の色として認識します。そのため、虹を見ると波長の長い赤から、下に向かって波長の短い紫になっているように見えるのです。

人間には見えない「光」

人間には見えない光も空間に存在しています。

その1つが、特に春から夏にかけて気になる人も多い**紫外線**です。

紫外線は、人間の目では認識することができない波長の領域である**紫外領域**に存在します。

紫外線は380ナノメートル以下の波長ですが、その中でも300ナノメートルまでの波長を**近紫外線**、300ナノメートル以下の波長を**遠紫外線**と言います。

近紫外線は、地表まで届き、日焼けの原因になったり、強い殺菌作用があります。遠紫外線は、近紫外線と異なり、人体に害がないうえ、殺菌作用をもっています。

紫外領域の光は人間の目には見えませんが、蜂や蝶など昆虫の多くは認識することができます。なぜなら、エサとなる花粉や蜜が目立つからです。

4

コンピュータは
0と1で動いている

　コンピュータの不具合により、株式市場の取引が全面的に止まったり、飛行場のカウンターで発券できなかったりなど、世の中の動きが止まることがあります。それだけ、現代社会はあらゆる場面でコンピュータなしには機能しないようになっているのです。

　毎朝チェックしている人も多い天気予報にも、コンピュータが不可欠。

　このように難しいことをしているので、さぞかしコンピュータの中では複雑な計算をしていると思うかもしれません。

2が10で、3が11!?

　実は、コンピュータの中で行われている操作は小学校で習う足し算、引き算、掛け算、割り算（四則演算）だけ。そして扱っている数字は、**0と1だけ**なのです。

　この0と1は、スイッチのオンとオフに対応します。0と1という2つの数字ですべての数字を表すことができ、この数字の表し方を**2進法**と言います（23ページ参照）。

10進法と2進法

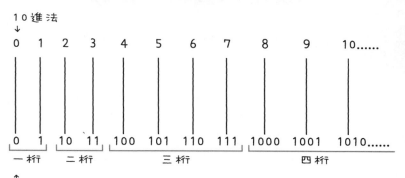

普段、私たちは「10」をひとくくりにして使っています。これを、**10進法**と言います。

9までは一桁、10から99までは二桁、100になると三桁というように、区切りの数字で桁が上がっていきます。

10進法の0と1を2進法で表すと一桁、10進法の2と3が2進法で表すと二桁、10進法の4から7までを2進法で表すと三桁になります。

たとえば、10進法の2は2進法では10と表し、10進法の3は2進法で11です。そして、4になると三桁になって100になります。

このように、コンピュータはたった2つの数字を使って、あらゆる機能を操作しているのです。

5

機械学習と
人間の脳の仕組み

　AI（Artificial Intelligence：人工知能）という言葉を耳にすることが増えましたが、あなたは「AIとは何か」を説明できるでしょうか？

　同じく、**機械学習**という言葉もよく耳にしますが、こちらも何なのかを説明できるでしょうか？

　AIは、人間の知能をロボットなどの機械に再現させることです。そのうちの１つが機械学習であり、コンピュータにデータのルールや法則を学習させ、それをもとに情報やデータを解析させたり、予測・推論させたりするための手法のことを言います。

　機械学習には、線形回帰分析やランダムフォレストなどさまざまな種類があり、その中で最も有名なのが人間の脳の伝達を模した**ニューラルネットワーク**です。

　AIの仕組みをお話しする前に、まずは人間の脳について知っておくべきことをお話ししましょう。

AIの分類

人間の脳内における情報伝達の仕組み

　人間の脳には、**ニューロン**と呼ばれる神経細胞が約1,000億あり、それぞれのニューロンはいくつもの突起を伸ばしてほかのニューロンと繋がっています。

　ニューロンとニューロンの接続部の構造は**シナプス**と呼ばれ、電気信号を送るほうを**シナプス前部**、受け取るほうを**シナプス後部**と言います。ニューロンから電気信号を受け取ると、シナプス小胞に貯蔵されたセロトニンなどの**神経伝達物質**が放出されます。この放出された神経伝達物質を次のニューロンのシナプス後部にある受容体が受け取ることで、情報が伝達されます。

1つのニューロンには、1,000以上のシナプスから情報が入ってきますが、重要度によって電気信号の重みが違っており、それらの総和がある一定の値（閾値）を超えると、次のニューロンに電気信号が伝わるという仕組みです。

　人間の脳の中は、このようにニューロンとシナプスが複雑に入り組んだネットワークをつくっているのです。

人間の脳を模してつくられたAI

　AIは、まさしく人工脳のようなもの。

　機械学習の1つであるニューラルネットワークでは、1つの人工ニューロンがいくつもの人工ニューロンから重みつきの信号を受け取るように、ネットワークをつくったものです。

　つまり、AIと人間の脳を比較すると、人工ニューロンが脳のニューロン、重みつきの信号が神経伝達物質と言えます。

　ネットワークで繋がれた一群の人工ニューロンから、ほかの一群の人工ニューロンに信号が伝達される際、データが分類され、ニューロンがもっているパターンが現れます。

　パターンが現れるように、1つひとつの人工ニューロンに入ってくる信号を重要度によって重みをつけて振り分けるのです。「どの信号に、どのくらいの重みをつけるのか」が学習です。機械がこの学習を繰り返すことで、多くの情報を獲得・分析し、パターンを探すことができるのです。

電気信号

シナプス前部

シナプス
小胞

神経伝達物質

受容体

シナプス後部

シナプス前部

シナプス後部

電気信号

ニューロン

27

6

夏から秋にかけて
活発になる台風

　ここまでのお話で、身の回りには「科学」があふれていること
を分かっていただけたでしょうか。

　日ごろ耳にするニュースにも科学が隠れています。ここでお話
ししましょう。

- -
南半球の台風と赤道の台風
- -

　毎年、日本で夏から秋にかけてニュースに登場するのが台風で
す。他国では、ハリケーンやサイクロンなどとも呼ばれています。

　実は、オーストラリアが位置する南半球では右回り（時計回り）
の台風が発生し、赤道では台風自体が発生しません。

　日本で生じる台風の向きは、左回り（反時計回り）。つまり、
南半球では、日本がある北半球と逆のことが起こるのです。

　なぜ、台風の向きが場所によって異なるのか、または台風自体
が発生しないのか、その仕組みについてお話ししましょう。

　台風とは、「**熱帯の海上で発生した低気圧（気圧が低い状態：
熱帯低気圧など）のうち、最大風速（10分間平均）が秒速17.2
メートル以上となったもの**」（気象庁の定義）のこと。

28

　台風の中心は、気圧が低い状態(低気圧)で、空気は気圧の高いところから低いところへ流れます。台風の中心が周りよりも気圧が低い(低気圧)ため、空気が流れ込み、渦巻き型になるのです。

　気象庁の台風の定義にあった秒速17.2メートルは、時速にすると約62キロメートルなので、自動車の速さをイメージしていただくと分かりやすいでしょう。

　さらに、風の強さは、次の3段階に分けられています。

●強い:秒速33〜44メートル(時速119〜158キロメートル)未満
●非常に強い:秒速44〜54メートル(時速158〜198キロメートル)未満
●猛烈な:秒速54メートル(時速198キロメートル)以上

　また、大きさは、**大型**と**超大型**の2つの階級に分けられており、超大型は日本の本州がすっぽり入る大きさです。

台風の回転を決める地球の自転とコリオリ力

「北半球と南半球では、台風の回転の向きが違う」と伝えしましたが、これには地球の**自転**が関係しています。

　朝・昼・夜と明るくなったり暗くなったりしますが、これは地球が北極と南極を結ぶ**地軸**を中心にして、１日で１回転（自転）しているからです。

　地球は東回り（反時計回り）に自転しており、地軸の始点と終点である北極点と南極点では、自転速度（反時計回りに回る速度）がゼロになります。そのため、地球の真ん中に引かれた赤道（緯度０°）から北や南に行く（緯度が高くなる）ほど、地表面での自転速度は遅くなります。

　北半球にある台風の目（台風の中心）から台風全体を見ると、北側の自転速度は遅いので空気が西向き、南側の自転速度は北側よりも速いので空気が東向きに動いていることになります。

　つまり、北側では西向きの力、南側では東向きの力が働いたように見えるのです。これら西向き・東向きの力を**コリオリ力**（転向力）と言います。

　コリオリ力の左右（東西）の運動に、空気が周り（高）から中心（低）へ流れ込む動きが加わるため、左回り（反時計回り）の渦ができるのです。

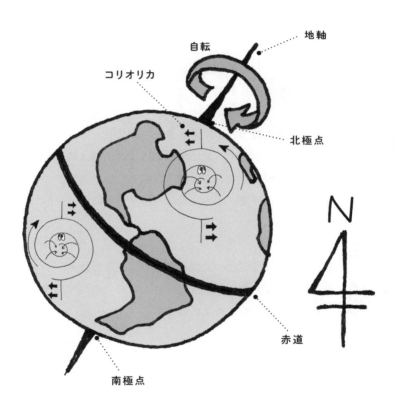

地軸

自転

コリオリカ

北極点

N

赤道

南極点

つまり、コリオリ力とは、回転している物体（台風の場合は空気）に運動方向（台風の場合、その中心に空気が流れ込む方向）と回転軸方向（台風の場合、地平面に垂直な外向き方向）の両方に直交する向き（ただし速度の方向から回転軸方向に右ねじを回したときに進む方向）に働く力です。

　このことを南半球の台風に置き換えてみましょう。
　南側の自転速度が遅く、北側の自転速度が南側より速いため、空気の流れが南側で西向き、北側で東向きになります。つまり、北半球の台風とは真逆。その結果、右回り（時計回り）の台風となるのです。

　一方、赤道では低気圧の北側と南側で自転速度の差が小さいため、そもそもコリオリ力が発生しません。そのため、大きな空気の渦である台風は存在し得ないのです。

北半球における台風に働く力と回転方向

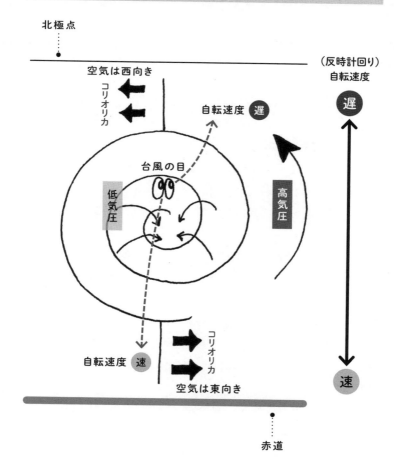

7

私たちは暗号で守られている

　キャッシュレス決済やクレジットカード、ネットバンクなどを使って、支払いやお金の管理をしている人が増えてきました。

　しかし、情報漏洩やセキュリティの不備などのニュースもまた増えており、「悪用されるのではないか」と気にする人がいるのも事実……。

　一体、どのようにして私たちの情報は守られているのでしょうか?

暗号に使われている素数

　2，3，5，7，11，……などのように、1とその数自身でしか割れ切れない数を「**素数**」と言います。学校で素数を習ったとき、「何の役に立つのだろう?」と思った人もいるかもしれません。実は、私たちの生活において素数は非常に役立っているのです。

　その1つが、暗号です。

　暗号には、「**共通鍵暗号**」と「**公開鍵暗号**」の2種類があります。

　共通鍵暗号とは、暗号化するカギと暗号を解く（復号）カギに同じものを使う方法です。

素数

1	②	③	4	⑤	6	⑦	8	9	10	⑪	12	⑬	…
	1	1	2	1	2	1	2	3	2	1	2	1	…
	×	×	×	×	×	×	×	×	×	×	×	×	…
	2	3	2	5	3	7	2	3	5	11	2	13	…
							×				×		…
							2				3		

○…素数
□…その数自身

　公開鍵暗号とは、暗号化するカギと復号するカギが異なる暗号のことです。暗号化するカギを**公開鍵**、復号するカギを**秘密鍵**と言い、暗号を受け取る人が秘密鍵を知らなければ暗号は解けません。このとき、カギに使われているのが「素数」です。

　まずは、共通鍵暗号についてお話ししましょう。
　共通鍵暗号は、昔から使われています。暗号の送り手と受け手が、暗号を解くために同じカギをもっています。

　たとえば、暗号の送り手が「1文字ずつ飛ばして読む」というカギで「明日15時京都駅」と秘密に伝えたい場合。
「あきすれ1753じときんょてうのとびえぽき」という暗号を

公開鍵暗号の例

カギ：「1文字ずつ飛ばして読む」

暗号：

| あ | き | す | れ | 1 | 7 | 5 | 3 | じ | と | き | ん | ょ | て | う | の | と | び | え | ぼ | き |

↑ ↑ ↑ ↑ ↑ ↑ ↑ ↑ ↑ ↑ ↑

あす15じきょうとえき

つくり、「1文字ずつ飛ばして読む」というカギと一緒に伝えます。

　暗号の受け手は、カギを使って暗号を解くのです。しかし、このカギをなくしてしまうと、暗号は解けなくなってしまいます。

公開鍵暗号のカギとなる素因数分解

　公開鍵暗号のカギである公開鍵と秘密鍵は、素数と素因数分解によって実現しています。

　素因数分解とは、たとえば、21 = 3 × 7 というように与えられた数を素数の積（掛け算）で表すことです。21であれば暗算でもできそうですが、数が大きくなればどんどん難しくなります。

　たとえば、2,881はどうでしょうか？

　素因数分解の常とう手段は、小さな素数から割っていくことです。しかし、2,881が最初に割り切れるのは43。したがって、答え

は2,881=43×67です。たった4桁の数字ですが、2, 3, 5, 7……と試し、43にたどり着くのには時間がかかります。

　では、11桁の数23,536,481,273はどうでしょうか?

　答えは、104,729×224,737です。2から104,729までには9,997個の素数があるので、素因数分解するには1万回近く計算をして初めて104,729にたどり着くことになります。これが100桁になると、とんでもない回数の試行錯誤をしなければ素因数分解の答えにはたどり着きません。

素因数分解

```
        7                67                      224737
   3 ) 21          43 ) 2881        104729 ) 23536481273
      -21             -258                  -209458
   ─────             ─────                   ───────
        0               301                   259068
                      -301                  -209458
   21=3 × 7          ─────                   ───────
                        0                    496101
                                            -418916
                 2881=43 × 67               ───────
                                             771852
                                            -733103
                                            ───────
                                             387497
                                            -314187
                                            ───────
                                             733103
                                            -733103
                                            ───────
                                                  0
```

23536481273=104729 × 224737

そこで、大きな数の素数をカギとする公開鍵暗号が開発されました。

　先ほどの11桁の数23,536,481,273を「公開鍵」、素因数分解の解である2つの数のペア（104,729、224,737）を「秘密鍵」とするのです。

　つまり、秘密に伝えたい内容を「23,536,481,273」を使って暗号化し、伝えたい相手に送ります。暗号を受け取った相手は、秘密鍵（104,729、224,737）を使って元の内容に戻すのです。

　具体的な方法として現在使われているのは、**RSA方式**と呼ばれるものです。RSAとは、1977年にこの方式を発案した3人の数学者、ロナルド・リベスト（Ronald L. Rivest）、アディ・シャミア（Adi Shamir）、レオナルド・エーデルマン（Leonard M. Adleman）の名前の頭文字からつけられました。

公開鍵暗号の仕組み

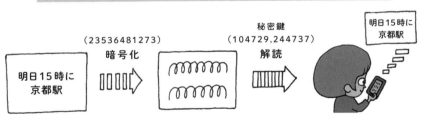

実はすでに1973年、当時英国政府通信本部に所属していたジェイムズ・エリスとクリフォード・コックスによってこの手法は発見されていたのですが、機密事項であったため外部に知られることはなく、先の数学者3人が発見者となり、RSA方式という名前になったのです。

　コンピュータの進歩によって、大きな桁数の数でも一瞬で素因数分解できると思うかもしれません。しかし、桁数が大きくなればなるほど、素因数分解にかかる時間が急激に長くなります。
　突然ですが、300桁の数の素因数分解にかかる時間は、150桁の数を素因数分解するのにかかる時間の何倍でしょうか?
　多くの人は、「2倍」だと思うかもしれません。しかし、実際は100万倍以上にもなるのです。

　RSA方式として、現在は少なくとも300桁の数を使った公開鍵と秘密鍵の利用が推奨されています。
　現在では、いたるところで素数を利用したRSA方式が使われており、私たちの情報を守ってくれているのです。

8

なぜ水素で自動車が動くのか

　ここ数年、自動車産業の技術改革が目まぐるしく、電気自動車や自動運転システムなど、近未来感のある車が実装されています。さらに、水素で走るバスなどが公道を走っていたりと、その技術は躍進するばかりです。

水素で自動車が動く仕組み

　自動車が、ガソリンや電気で動くことはイメージしやすいでしょう。しかし、「**水素**」で動く仕組みをイメージすることはできるでしょうか？

　水素を燃料とした自動車を**燃料電池自動車**（Fuel Cell Vehicle：FCV）と言います。名前の通り、搭載した燃料電池を動力とした自動車です。燃料電池には水素と酸素が使われており、化学反応によって電流が流れます。この電流が、自動車内部のモーターを動かすことで、自動車が走るのです。

　ガソリンで走る自動車は排気ガスを放出しますが、燃料電池自動車が放出するのは水のため、環境に配慮した乗り物と言えるでしょう。

物質を構成する原子

　燃料電池自動車は、水素と酸素が化学反応を起こすことで動くというお話をしましたが、水素や酸素とは、何なのでしょうか。

　ここからは、自動車の原動力となっているだけでなく、私たち自身をも構成している、水素や酸素などの元素についてお話ししましょう。

　みなさんは学校で、「すいへーりーべ〜」などのゴロを使って元素記号を覚えたのではないでしょうか?

　その1つめ「すい」は、まさしく水素（H）のことです。

　では一体、元素とは何なのでしょうか?

　車やバス、ガソリンなど、世の中のあらゆる物質は、100種類以上もある原子からできています。

　原子は、中心に正（＋）の電荷をもった原子核があり、その周りを負（−）の電荷をもった電子が回っている構造をしています。

　原子の大きさは、0.1ナノメートル（1ナノメートルは、「.1」の前に0が9個つく大きさ）程度で、原子核は原子の大きさの1万分の1程度と大変小さく、正の電荷をもった陽子と電荷をもたない中性子からできています。

　陽子と中性子は電荷のある・なしを除けば、よく似た性質をもっているので、まとめて核子と呼ばれることもあります。

核子の質量は電子の約2,000倍もあり、原子の質量のほとんど
は原子核によるものです。宇宙でいちばん多い原子である水素
（H）は、１個の陽子と１個の電子からできています。

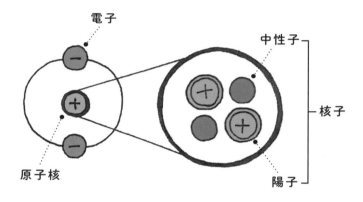

- -
元素と原子の違い
- -

　さまざまな化学反応の研究から水素や酸素、炭素などが発見さ
れ、物質はそれ以上分解することができないいくつかの塊、つま
り**元素**からできていることが主張されるようになりました。

　その後、化学反応におけるいくつかの規則性が発見され、元素
が「原子という基本単位の集まり」であることが確からしくなり
ます。

　たとえば、元素・水（H_2O）は原子・水素（H：原子量１）１

周期表

1	2	3	4	5	6	7	8	9	10	11	12	13	14	15	16	17	18
H																	He
Li	Be											B	C	N	O	F	Ne
Na	Mg											Al	Si	P	S	Cl	Ar
K	Ca	Sc	Ti	V	Cr	Mn	Fe	Co	Ni	Cu	Zn	Ga	Ge	As	Se	Br	Kr
Rb	Sr	Y	Zr	Nb	Mo	Tc	Ru	Rh	Pd	Ag	Cd	In	Sn	Sb	Te	I	Xe
Cs	Ba	ランタ ノイド	Hf	Ta	W	Re	Os	Ir	Pt	Au	Hg	Tl	Pb	Bi	Po	At	Rn
Fr	Ra	アクチ ノイド	Rf	Db	Sg	Bh	Hs	Mt	Ds	Rg	Cn	Nh	Fl	Mc	Lv	Ts	Og

ランタ ノイド	La	Ce	Pr	Nd	Pm	Sm	Eu	Gd	Tb	Dy	Ho	Er	Tm	Yb	Lu
アクチ ノイド	Ac	Th	Pa	U	Np	Pu	Am	Cm	Bk	Cf	Es	Fm	Md	No	Lr

に原子・酸素（O：原子量16）8、つまり1：8の質量比でできていること。

　ほかにも、元素・一酸化炭素（CO）と元素・二酸化炭素（CO_2）を比べると、原子・炭素（C：原子量12）に対する原子・酸素（O：原子量16）の質量比が1：2になっていること（$2C+O_2 = 2CO$、$C+O_2 = CO_2$）などが挙げられます。

　つまり、私たちの身の回りにあるもの（物質）は、原子が合わさってできた元素から成り立っているのです。

元素は原子の集まり

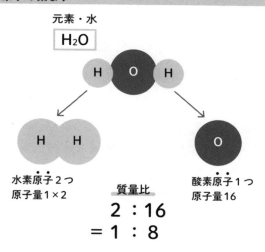

元素・水

$$H_2O$$

水素原子2つ
原子量1×2

質量比
2 : 16
= 1 : 8

酸素原子1つ
原子量16

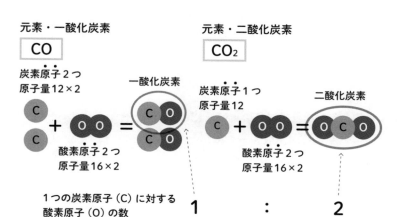

元素・一酸化炭素

$$CO$$

炭素原子2つ
原子量12×2

一酸化炭素

C + OO = CO CO

酸素原子2つ
原子量16×2

元素・二酸化炭素

$$CO_2$$

炭素原子1つ
原子量12

二酸化炭素

C + OO = OCO

酸素原子2つ
原子量16×2

1つの炭素原子 (C) に対する
酸素原子 (O) の数

1 : 2

45

9

人類に脅威を与える地震

2011年3月11日は、日本人にとって忘れがたい日となりました。日本の観測史上最大、マグニチュード9.0〜9.1の東北地方太平洋沖地震（東日本大震災を引き起こしました）が起きたのです。

宮城県牡鹿半島の東南東130キロメートル付近、深さ約24キロメートルを震源とした、1995年に起きた阪神・淡路大震災の地震の1,000倍のエネルギーをもった超巨大地震でした（エネルギーの大きさには諸説あります）。

東北地方太平洋沖地震の情報をまとめると、次のようになります。

【東日本大震災】

マグニチュード　9.0〜9.1

最大震度　7

震源　宮城県牡鹿半島の東南東130キロメートル付近

　　　深さ約24キロメートル

種類　海溝型地震

2種類の地震と日本付近のプレート

　揺れによる地割れや物の落下などによる被害だけでなく、津波や火災などの二次災害をも引き起こす地震。特に、日本は地震大国と言われ、古来より悩まされてきました。科学が発展していても、地震を予期し、対策することはできないのでしょうか?

　まずは、地震の基本的なことをお話ししましょう。

　地震は、**海溝型地震**と**内陸地震(またはプレート内地震)**に分けることができます。

　東北地方太平洋沖地震は「海溝型地震」、阪神・淡路大震災を引き起こした兵庫県南部地震や2016年の熊本地震は「プレート内地震」です。いずれも、地下で起こる岩盤(プレート)のズレで発生したものです。

　そもそも地球の表面(地表)は、数十枚のプレートで覆われており、日本列島の周りには2つの**大陸プレート**と2つの**海洋プレート**がまたがっています。

　プレートは年に数センチメートル動き、海洋プレートは大陸プレートよりも密度が高いため、2つのプレートがぶつかると海洋プレートが大陸プレートの下に沈み込みます。

　日本列島は、東半分が北アメリカプレート、西半分がユーラシ

アプレートの大陸プレートに乗っています。そして、ユーラシア
プレートにはフィリピン海プレート（海洋プレート）、北アメリ
カプレートには太平洋プレート（海洋プレート）が沈み込んでい
るのです。

　海洋プレートは大陸プレートを地下に引きずり込みながら沈ん
でいきますが、大陸プレートが海洋プレートによる引きずりに耐
えられなくなると、硬い岩盤が割れて跳ね上がります。このとき
に起こるのが、海溝型地震です。
　海洋プレートの沈み込みの影響は、接していない海洋プレート
や大陸プレートの内側にも及び、それぞれに地盤のズレを引き起
こします。その際、プレート内地震が起こるのです。

地震の大きさを表すマグニチュードと震度

　地震が起こると、ニュースなどで報じられる**マグニチュード**と
震度。みなさんは、それぞれについて説明することはできるでし
ょうか？
　マグニチュードとは地震の規模、震度とは地震による揺れの大
きさのことです。
　マグニチュードが大きいほど規模の大きな地震となりますが、
マグニチュードが大きくても震源が遠くにあればあるほど、震度
は小さくなります。

日本付近のプレートと地震が起こる仕組み

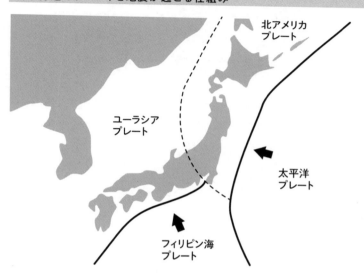

北アメリカ
プレート

ユーラシア
プレート

太平洋
プレート

フィリピン海
プレート

海溝

海洋プレート

大陸プレート

① 海洋プレートが大陸プレート
の下に沈み込みます。

歪みの蓄積

引きずり込み

海洋プレート

② 大陸プレートの先端部が引
きずり込まれ、歪みが蓄積
します。

津波の発生

海洋プレート

跳ね上がり

③ 歪みが限界に達し、大陸プ
レートの先端部が跳ね上が
って、海溝型地震が発生し
ます。

あまり知られていませんが、日本で用いられているマグニチュードには、**気象庁マグニチュード**と**モーメントマグニチュード**の2種類があります。これらは、どちらも地震が解放するエネルギーの大きさを「対数スケール」で表したものです。

　突然ですが、「べき乗」という言葉を聞いたことはありませんか？
　もしくは、2の2乗や2の3乗と言うと分かりやすいかもしれません。このように、同じ数（ここでは2）を掛けることを「べき乗」と言います。
　2の3乗は2×2×2で8、これを式で表すと、$2^3 = 8$になります。
　では、もう1つ質問です。
　log（ログ）という言葉を聞いたことはないでしょうか？
　ログとは対数のことで、「2を何乗すれば8になるか」を表す数です。これは、先ほどお話ししたべき乗の3を求める方法でもあります。2を3乗すると8になり、数式では、$\log_2 8 = 3$と表します。
　この式の2と3には、それぞれ名前があります。2を底、3を対数と言い、「8の対数は3（2を底とする）」と表せるのです。

　地震のマグニチュードは、この対数を使ったスケールで表しています。マグニチュードが2大きくなるとエネルギーが1,000倍になり、数式では$(\sqrt{1000})^2 = 1000$なので$\log_{\sqrt{1000}} 1000 = 2$となります。√（ルート）は平方根と言い、$\sqrt{1000}$は約32。

　つまり、対数スケールとは、「マグニチュードが1大きくなると、エネルギーが約32倍になる」ように決めたものです。

　気象庁マグニチュードとモーメントマグニチュードはどちらも対数スケールで表しますが、それぞれ測り方が異なります。
　次は、測定方法についてお話ししましょう。

なぜ、2種類のマグニチュードを使うのか?

　気象庁マグニチュードは、周期5秒までの強い揺れの波形のうち、最大の揺れ幅を目安に計算されます。
　なぜなら、地震は地面の揺れであり、一般的に、波のエネルギーは波の揺れ幅の2乗と継続時間に比例するからです。
　この目安は、地震の発生後すぐに計算されるという利点がありますが、東日本大震災を引き起こした東北地方太平洋沖地震のような超巨大地震の場合は、5秒よりも長い周期の揺れが大きくなるため、気象庁マグニチュードでは実際に地震で解放されたエネルギーを過小評価してしまうことになります。

　一方、気象庁マグニチュードの欠点を改良したものが、モーメントマグニチュードです。
　これは、地震が起こる原因である岩盤のズレに基づいて計算されています。具体的には、「ズレ動いた部分の面積」に「動いた長さ」を掛け、さらに「岩盤の硬さ」を掛けたものに対応します。

モーメントマグニチュードを計算するには、これらの正確な情報を必要とするため、多くの地震計の解析が必要となり、時間がかかってしまいます。

　このように2つの異なる測定方法を使うことで、算出されるマグニチュードが変わるのです。

　たとえば、東北地方太平洋沖地震の場合、発生の当日に出た気象庁マグニチュードは7.9でしたが、発生から2日経って発表されたモーメントマグニチュードは9.0でした。

　気象庁マグニチュードとモーメントマグニチュードは、お互いのメリットとデメリットを補間しているのです。

日本で用いられている2種類のマグニチュード

気象庁マグニチュード

周期5秒までの強い揺れの波形のうち、最大の揺れ幅を目安に計算

メリット

地震の発生後すぐに計算される

デメリット

超巨大地震の場合、実際に地震で解放されたエネルギーを
過小評価してしまう

モーメントマグニチュード

地震が起こる原因である岩盤のズレに基づいて計算
具体的には、「ズレ動いた部分の面積」×「動いた長さ」×「岩盤の硬さ」

メリット

気象庁マグニチュードよりも正確なマグニチュードを算出できる

デメリット

算出するまでに時間がかかる

10

生命の仕組み

　そもそも生命とは何かについて、完全に一致した答えがあるわけではありません。『若い読者に贈る美しい生物学講義』（更科功著・ダイヤモンド社）には、次の3つの条件を満たすものが生物であると定義されています。

- <u>外界と膜で区切られている</u>
- <u>代謝（物質をエネルギーに変えたり、エネルギーを使って物質を合成したりすること）を行う</u>
- <u>自己の複製をつくる</u>

　これらの条件を人間で確認してみましょう。

　私たち人間は細胞でできており、細胞には細胞膜という「膜」があります。よって、1つめの条件はクリアしています。

　2つめは、代謝です。「新陳代謝がいい」「ダイエットのために基礎代謝を高める」などの表現で使われています。たとえば、食べ過ぎた食事が脂肪に変わるのも代謝です。つまり、人間は2つめの条件もクリアしています。

　最後の自己の複製をつくるはDNAの複製のことであり、1つの細胞から2つの細胞をつくる（細胞分裂）ために必要な過程で

す。たとえば、人間の赤ちゃん（胎児）は、受精卵が細胞分裂を
繰り返すことで形づくられます。よって、最後の条件もクリアし
ており、人間は生物であると言えます。

遺伝学の第一歩を打ち出したメンデルの法則

　生物と言うと、人間や犬、牛などの動物を思いがちですが、生
物＝動物ではありません。

　古くから農業では品種改良のための交配が行われていました
が、遺伝の原理は知られておらず、経験的な積み重ねによって進
化してきました。遺伝現象を最初に定量的に解析して遺伝学の第
一歩を踏み出したのが、中学で習う「**メンデルの法則**」の発見者
グレゴール・ヨハン・メンデル。

　メンデルは1853年からエンドウ豆を使って交配実験を行い、
その結果が3つの簡単な規則（メンデルの法則）で表されること
を発見しました。

　メンデルの法則によって、人間から生まれてくるのは人間、馬
から生まれてくるのは馬といった、生物種はすべて遺伝子で決ま
ることが示されたのです（詳しくは、Chapter 3でお話しします）。

遺伝情報を伝達するDNAの発見

　メンデルの法則が発表されてから少し経った1869年、スイスの生理学者・生化学者・医師フリードリッヒ・ミーシャが**核酸（ヌクレイン）**を発見しました。

　彼は生物の細胞がどんな物質からできているかを調べる過程で、白血球の細胞の核の中にリンが多く含まれる物質があることに気づき、これを見つけヌクレインと名づけたのです。

　発見当時はこの物質がどんな役割をしているかは全く分かりませんでしたが、研究が進むにつれ、核酸にはDNAとRNAの2種類があることや、DNAが遺伝情報をもっているということが分かります。

　1920年代には、DNAの化学的組成が、アデニン（A）、グアニン（G）、シトシン（C）、チミン（T）という物質と、デオキシリボースという糖分子（砂糖）、リン酸からできていることが分かっていました。

　アデニン、グアニン、シトシン、チミンは窒素を含んだ分子であり、その化学的な性質（自分のもっている2つの電子を相手に与えて結合状態をつくります。ちなみに電子をもらうほうをホウ酸と言います）から**塩基**と呼ばれます。

　塩基・糖・リン酸の3つのセットを**ヌクレオチド**と言い、これ

が多数繋がっているのが、DNAやRNAです。

　遺伝研究が進むにつれて、アメリカ出身の分子生物学者ジェームズ・ワトソンとイギリスの科学者フランシス・クリックは、DNAが「二重らせん構造」であることも解明したのです。

　DNAの構造が分かると、次は「どのようにしてDNAに書き込まれた遺伝情報から特定のタンパク質がつくられるのか」を解明する研究に移りました。
　1958年、クリックが、「遺伝情報はDNAからRNAへ移され、その情報を設計図としてタンパク質へと伝達される」という提案をしました。その後の研究で、クリックが提案した流れが基本的に正しいことが確認され、**セントラルドグマ**と呼ばれる遺伝情報の伝達・発現に関する分子生物学の一般原理となりました。

　私たちは、このような小さな小さな物質の塊から、さまざまな奇跡的な仕組みを経て存在できているのです。

クリック

ワトソン

そもそも「科学」って何?

　実はここまでお話ししてきたことはすべて、高校までの授業の範囲で教わることなのです。しかし、「科学なんていう授業はなかった」と言う人もいるでしょう。

　では、科学とは一体何なのか、またどうやって私たちは学んできたのでしょうか?
「科学」とひとくくりに言っても近年、その使用範囲が広がっています。

　たとえば「科学」は、自然科学や人文科学、社会科学の総称として用いられるときもあるのです。

　本書で取り扱う「科学」を明確に定義するために、まずは科学を研究している「科学者」について考えてみましょう。

「科学者」ってどんな人?

　突然ですが、みなさんは「科学者」と聞いて、どのようなイメージをもつでしょうか?

【科学者のイメージ】
●<u>よく分からない実験装置に囲まれている</u>

- **得体の知れない液体を混ぜている**
- **複雑そうな装置を組み立てている**
- **ドラマのように、数式をところかまわず書いている**
- **理屈が分かっていれば、それに関することは何でもできる**
- **何でも知っている人**
- **自分の専門以外何も知らない人**

など

　このようなイメージをもっている人が多いのではないでしょうか?
　実は科学者と一口に言っても、多種多様で研究範囲も研究スタイルも全く異なっています。実生活にすぐ結びつくような研究もあれば、1,000年経っても何の役にも立ちそうにない研究もあります。
　また、実験をしている科学者もいれば、実験や観測をするために自分で装置づくりをしている科学者も、始終コンピュータとにらめっこしている科学者も、ただただ頭の中でアイデアを出して数式で確かめている科学者もいます。

　相対性理論で有名になったドイツ生まれの物理学者アルベルト・アインシュタインは、「研究って何?」と聞かれたとき、「自然は壁から天井まで摩訶不思議な文字で書かれた書物で埋め尽くされた神の図書館で、研究とはどの本に何が書いてあるかを読もうとすること」と答えています。
　つまり、研究の仕方にはいろいろあるということです。

科学と自然科学の違い

　科学者とは、自然界で起こるさまざまな現象についてあらゆる方法で研究している人のことだとお話ししました。

　本書での「科学」は、物理や化学、生物学といった自然科学と自然科学を解き明かすために必要な数学に話を限りますが、科学において最後に落ち着く結果は、しばしば政治や社会に大きな影響を及ぼすことがあります。つまり、自然科学の枠内だけで閉じるわけではないのです。

　自然科学における研究の目的は、自然界に起こっている現象が「なぜ」「どのようにして」起こっているか、その仕組みを解明することだと言っても間違いではないでしょう。

　自然科学における研究方法は、多くの場合、実験あるいは観測データから、自然界に起こっている現象を説明する仮説（理論）を立てて、仮説による予言を行い、実験あるいは観測によって予言を確かめるという手順をたどります。

　特に物理学では、理論は数学的な記述ができ、自然法則と呼ばれます。

　たとえば、イギリスの科学者アイザック・ニュートンが発見した重力の法則である「万有引力の法則」。実はこれ、万能ではありません。

Chapter 2 で詳しくお話ししますが、万有引力の法則は重力の真の力をとらえきれていないことが分かったのです。このことを発見したのは、アインシュタインでした。

アインシュタインが一般相対性理論をつくったとき、ニュートンの万有引力の法則には限界があることが分かったのです。

結局、科学は何の役に立つの?

ここまで、「高校までで学んだ科学」「本書における科学の定義」についてお話ししてきましたが、科学についてお分かりいただけたでしょうか?

おそらく、なおさら科学について分からなくなったという声も聞こえてきそうですね。

では結局のところ、科学というのは何なのでしょうか?

私は、「**科学とは、理性と論理的思考に基づいた知的好奇心を満たす人間の大事な精神活動**」だと考えています。

ヨーロッパでは、新型コロナウイルスが猛威をふるっている最中、ドイツのメルケル首相は、国民に向けたメッセージの中で科学について述べました。

「今日のヨーロッパがこうしてあるのは、科学的な知見への信頼とそれによる啓蒙のおかげです。人は科学的知見をもっと大切に

すべきです。私は社会主義時代の東ドイツで物理学を専攻しました。その理由は、社会主義政権がいくら政治的な出来事や歴史上の事実を変えることができたとしても、重力や光速などに関する法則を変えることができないからです。科学的知見に立った事実を無視することはできないのです」

　さらに彼女は、国民に新型コロナを抑え込むためには人との接触を避けることが必要だと訴えました。なぜなら、それが科学的に正しい新型コロナの蔓延を防ぐ方法だからです。
　もちろん、科学は万能ではありません。科学も科学的な予言も時代で変わることがあります。
　しかし、物事を判断するときに、いちばん信頼のおける考えなのです。彼女が演説の中で教育や学術への支援を強く訴えたのも、科学的な考え方を大事にしたかったからでしょう。

　科学では、客観的に得られる物事の見方や論理的な考え方、絶対的に正しいことはないと常に間違いの可能性を受け入れることが大切なのです。
　アインシュタインが万有引力の法則に限界があることを証明したのも、彼が「万有引力の法則が間違っているのかもしれない」という可能性を示唆した科学的な考え方をしたためでしょう。

Chapter
2

科学の歴史と科学者

1

科学は科学によって証明される

　Chapter 1 では、小学校から高校の理科で学んだ身の回りにあふれている科学についてお話ししました。

　Chapter 2 は、あらゆる物質や法則、現象などが発見された歴史とそれらを発見、発明した科学者に焦点を当ててお話ししましょう。

リンゴの落下と偉大な発見

　17〜18世紀、イギリスの科学者アイザック・ニュートンは、木からリンゴが落ちるのを見て万有引力の法則を発見したという有名な逸話があります。

　万有引力の法則とは、すべてのものがお互いに引き合う力（引力）をもっていることを示す重力の法則です。この法則によって、「なぜ、月は地球に落ちてこないのか」など、惑星の運動を見事に説明することができるようになりました。

　イギリスの天文学者エドモンド・ハレーは、万有引力の法則を用いて1682年に現れた彗星が1531年と1607年に現れた彗星と同じものであることと、1758年に再び現れることを予言しまし

た。ハレー自身はその予言を確かめることなく亡くなりました
が、1758年12月25日、ハレーの予言通りに彗星が観測されまし
た。これが、ハレー彗星です。

　ハレー彗星は、75.32年周期で地球に接近するうえ、肉眼での
観測が可能。前回は、1986年4月に地球へ最接近しました。

　次にハレー彗星が地球に最も近づくのは、2061年7月とされ
ていますが、このことを疑う物理学者は1人もいないでしょう。

　万有引力の法則はそれ以降も海王星の軌道を予言し、その予言
通りに発見されるなど、幾度となく検証されてきたのです。

万能と思われていた「万有引力の法則」

　しかし、19世紀に水星の運動の観測データが万有引力の法則
の予言とほんのわずかでしたが、違うことが分かりました。当時、
多くの物理学者が万有引力の法則は正しく、観測データとの違い
は太陽と水星の間に存在する未発見の惑星の影響だと考え、その
未発見の惑星を探すことに多大な努力を払いました。しかし、ど
こを探しても、そんな惑星は見つからなかったのです。

　そんな中、1人だけ全く違った仮説を立て、水星の観測データ
に現れた万有引力の法則とのズレを見事に説明した科学者がいま
した。アインシュタインです。

　アインシュタインは、重力を空間（より正確には時間と空間が
一体となった時空の曲がり）として表す「一般相対性理論」を使
ってこのズレを説明しました（一般相対性理論については、

Chapter 4 で詳しくお話しします)。

　つまり、一般相対性理論の誕生によって、ニュートンの万有引力の法則は、重力の真の姿をとらえきれていないことが分かったのです。

- -
間違っている理論でも使うことができる
- -

　このように、幾度となく検証されたからといってその理論が本当に正しいとは限りません。時代によって新たな実験や観測が行われ、理論の説明がその結果と矛盾することも起こります。その場合、理論は完璧でないということになるのです。

　しかし、このように完璧でない理論でも、適用範囲内では使うことができます。

　では、適用範囲はどのようにして決まるのでしょうか?

　それは、正しい理論(この場合は、一般相対性理論)が分かって初めて決められることになります。

　たとえば、万有引力の場合、重力が非常に強いブラックホールは適用範囲外ですが、地球上における現象については理論が成り立つ適用範囲内なのです。

　今後、新たな実験や観測が行われ、より精度の高い測定や計算ができるようになれば、一般相対性理論といえども、より正しい理論にとって代わられることもあります。

　このように、科学は新たな研究によって、間違いを修正し、進化していきます。

　今の世の中を支えている身の回りの科学の仕組みの裏には、多くの科学者がいます。彼らは、失敗や間違いを重ねながら、新たな事象や物質などを発見したり、より正確な理論を生み出してきたのです。

現代文明に不可欠な 電磁波の発見

　Chapter 1 でお話しした、私たちの身の回りを飛び交っている電磁波。さて、電磁波は一体どのようにして発見されたのでしょうか。

　電磁波が発見されたときのお話をする前に、電磁波と密接な関係にある電磁誘導の発見について、まずはお話ししましょう。

- - - - - - - - - - - - - - - - - - -
知的好奇心から電磁誘導を発見
- - - - - - - - - - - - - - - - - - -

　1791年、ロンドンの貧しい鍛冶屋の息子マイケル・ファラデーが生まれました。ファラデーは、4人兄弟の3番目で、貧しさゆえほとんど教育を受けることなく、13歳で近所に奉公に出されます。

　しかし、ファラデーにとっては幸運なことに奉公先は製本屋。そこで彼は多くの科学書に接することになったのです。

　当時、イタリアの物理学者アレッサンドロ・ボルタとルイージ・ガルヴァーニが面白い実験をしていました。それは、カエルの脚に2種類の金属を接触させて脚を痙攣させるというものでした。ガルヴァーニが「動物の筋肉の中には電気が蓄えられている」と

考えたのに対して、ボルタは「金属間にカエルの脚を通って電流が流れた」と考え、食塩水に浸した紙でも同じように電流が流れることを示しました。この実験について書かれた本を読んだファラデーは、このような電気にまつわる実験を自分でもやってみたいと思うようになり、わずかばかりの給金で実験をはじめました。

1812年、ファラデーに幸運が訪れます。製本屋の主人からファラデーがまじめに働き、コツコツ実験をしているという話を聞いたお得意さんが、イギリスの化学者ハンフリー・デービーの公開実験の参加チケットをファラデーに与えたのです。

公開実験を見に行ったファラデーは、実験の様子を詳しくスケッチし、そのノートをデービーに送りました。ちょうど実験助手を探していたデービーは、ファラデーのノートを見て、住み込みの助手として採用しました。しかし、ファラデーは単なる助手にはとどまらず、めきめきと才能を発揮していきます。

当時、電気や磁気の本質はまだ知られておらず、さまざまな実験が行われていたのです。

特にファラデーは、電線に電流が流れると近くに置いてある方位磁石の針が動くという現象に興味をもちました。方位磁石の針が触れるということは、方位磁石に磁気の力が働くということ。つまり、電流が磁気の力をつくったことになります。

このことにヒントを得たデービーは、電流を流して磁気の力をつくり出し、その力で物体を回転させる装置をつくろうと実験し

ましたが、上手くいきませんでした。その実験にファラデーがどの程度関わっていたかは分かりませんが、デービーといろいろな議論をしたようです。

　やがてファラデーは、磁石の周りに電流を流した針金を吊るすことを思いつきました。針金のつくる磁気の力を受けて磁石は動こうとしますが、磁石を固定しておくと動くことはできず、その代わりに針金が磁石の周りをくるくると回転しはじめます。

　つまり、電流が回転という運動に変わったのです。

　これは世界初のモーターで、現在はファラデーモーターと呼ばれています。

　その後、銅線を巻いたコイルなどを使って実験を繰り返します。

　ファラデーは、「電気の力や磁気の力が働くのは、電荷や磁石の周りの空間にそれぞれ電場と磁場ができる」と考え、「電場は電荷に力を与え、磁場は磁石に力を与える」と結論づけたのです。この「場」という考えは、現代物理学の基本的な考え方となっています。

　1831年、ファラデーは、2つのコイルの一方に電流を流すと、流れはじめと止めるときにもう一方のコイルに電流が流れることを発見しました。

　これは、電流を流したコイルの周りに磁場ができ、電流を流しはじめたときと止めたときは、磁場ができたり消えたりするため、もう1つのコイルに電流が流れたのです。

　つまり、磁場が変化すると電流が流れるということが分かったのです。この現象を**電磁誘導**、変化する磁場によって発生した電流を**誘導電流**と言います。電磁誘導の発見によって、物理学の分野の１つである電磁気学が完成しました。

　しかし、ファラデーは数学的な教育を一切受けていなかったため、自身の発見を数学的に表すことができませんでした。その代わり、彼の研究日誌には、イラストや文章を使って電磁誘導の説明がなされていたのです。

　その後、スコットランドの物理学者ジェームズ・クラーク・マクスウェルが、ファラデーの一連の発見を「ベクトル解析」という数学で表しました。

　このことによって、電磁気学は発展し、電磁波の発見へと繋がったのです。

電磁波は役に立たないと思われていた

　電磁波は、電気と磁気の振動が空間を伝わる現象の一種です。電磁波が発見されるまでは、電気の力は電荷をもった物体の周りだけ、磁気の力は磁石の周りだけにしか働かないと思われていました。

　1864年、マクスウェルが電磁波の存在を予言し、研究の結果、電気と磁気は電荷の束縛から離れて自由に空間に羽ばたくことができると、理論上で分かったのです。

このことを後にアメリカの物理学者リチャード・ファインマン
は、「蛹（さなぎ）が蝶になった」と形容しました。

　しかし、その蝶である電磁波の存在を示すのは難しく、実験で
確認されたのは20年以上経った1888年のこと。
　ドイツの物理学者ハインリヒ・ヘルツが、実験によって電磁波
の存在を明らかにしました。このとき、研究室の学生に「電磁波
が何の役に立つのでしょうか？」と聞かれ、「たぶん何の役にも
立たないだろう」と答えたと言います。
　ヘルツは室内で実験を行っていたため、室内で電磁波が伝わっ
たことを示すことはできましたが、それ以上のことは分からな
ったため、こう答えたのでしょう。電磁波が家と家を行き来した

1864年　電磁波の存在を予言（マクスウェル）

「蛹が蝶になった！」（ファインマン）

1888年　電磁波の存在を証明（ヘルツ）

り、大陸を超えたりなど、より遠くまで伝わるとは思わなかったのかもしれません。

しかし、現代では電磁波の性質が分かったことで、Wi-FiやBluetoothイヤホン、電子レンジ、ICカードなどに使われ、重宝されています。現代文明は、電磁波のおかげといっても過言ではないのです。

コンピュータの誕生と進化

話題のスーパーコンピュータは、一言で言うと、とてつもなく速く計算（演算）できるコンピュータです。

人間には到底敵わないスピード

演算の速さの単位を**フロップス**と言い、1秒間に1回演算をすると1フロップスとなります。

現在、日本の「富岳」など世界中で開発しているスーパーコンピューターは、1エクサフロップスを目指しています。

1エクサとは、1秒間の処理速度が100京（1の次に0が18個続く数値：10^{18}）。つまり、スーパーコンピュータは、1秒に10^{18}回も演算できるのです。これは、国民全員が10億回以上の演算を不眠不休で行っている計算になります。

電子回路によって演算する世界初のコンピュータENIAC（Electronic Numerical Integrator and Computer）が登場したのは、1946年のこと。ENIACは10進法を使っており、その計算速度は1秒間に約5,000回でした。ちなみに重さは約30トン、大きさは幅24メートル×高さ2.5メートル、倉庫1個分をイメージす

ると分かりやすいでしょう。

　その後、プログラミングができる初代コンピュータEDVAC（エドバック）
（Electronic Discrete Variable Automatic Computer、 2 進法を
使ったコンピュータ）が現れたのは、1951年のこと。このコン
ピュータを設計した中心人物であるハンガリー出身でアメリカの
数学者ジョン・フォン・ノイマンは、人類史上最恐の天才との異
名をもっています。そんな彼が、「俺の次に頭のいいやつができ
た！」と言ったそうです。

　これ以降のコンピュータの進歩は目覚ましく、自然科学の研究
にも不可欠な存在になっています。

万能に思えるコンピュータにも苦手なことはある

　人間が歯の立たない何億万桁もの計算を一瞬にして行うことができるコンピュータですが、苦手なこともありました。

　それは、何人も写っている写真の中から特定の人を探すこと。

　なぜなら、コンピュータで問題を解くときには、与えられたデータをどのように処理し、どのような解析方法を使うかをコンピュータに分かる言語（プログラム）で教えておかなければならないからです。

　つまり、プログラムのない、コンピュータは無用の長物。

　コンピュータのプログラムは、基本的には０と１を使った四則演算で組まれた単純なルールの積み重ねです。

　しかし、多数の顔の中から特定の人を選び出すのは単純なルールでできるものではありません。さまざまな要素の組み合わせで判断されるからです。

　したがって、人間が「多数の顔の中から特定の人を選び出す」方法をプログラムするのには無理があります。

　そこで人間がプログラムを与えるのではなく、コンピュータ自身にデータを学習させて、ルールあるいは何らかのパターンを見つけさせ、見つけた何らかのパターンを使って未知の問題に解答を与えようという研究がはじまりました。

　これが、Chapter 1 でご紹介した**機械学習**です（24ページ参照）。

　最近よく話題になる**ディープラーニング**は、ニューラルネットワークを用いた機械学習の１つの手法です。

　おおざっぱに言えば、データからパターンを学習することを階層的に何度も何度も行うこと。階層的にという意味は、ある段階で得たパターンを前提にしてということで、階層が多ければ多いほど、さまざまなパターンが現れてくることになります。

　ディープラーニングの精度は、データが多ければ多いほどよくなるので、演算は莫大な量になります。

　21世紀に入ってインターネットの利用などにより莫大なデータが入手しやすくなったことや、コンピュータの性能が各段に向上したこと、特に人工ニューロンとして画像処理専用の半導体GPU(Graphic Processing Unitの略)が用いられるようになってからは、ディープラーニングを使った音声認識や画像認識が実用的になりました。

　2016年から2017年にかけて、機械学習とディープラーニングを組み合わせた手法を用いて開発された囲碁専用人工知能Alpha碁が、当時最高の囲碁棋士たちと戦い、立て続けに破ったことは、コンピュータが人間の知能に一歩近づいた象徴的な出来事でした。

進化し続けるコンピュータはどうなるのか

　では一体、コンピュータはどこまで進化するのでしょう。

　1968年にアメリカで公開されたSF映画『2001年宇宙の旅』で

は、木星に向かう宇宙船に搭載された人工知能HAL9000型コンピュータが自己意識をもち、自分（HAL）を停止させようとした乗組員の殺害を企てます。

　これ以降、ターミネーターのように意識をもったコンピュータが映画に登場するのが増えています。

　たしかに、現在のコンピュータは、人の脳の機能の一部をはるかに超える機能をもつようになっています。しかし、まだまだ汎用性という点において、圧倒的に人間には劣りますし、自己意識をもってはいません。

　イギリスの数学者アービング・J・グッドは、人工知能（AI）はいずれ人間よりも高い能力をもち、AI自ら自身よりも優秀なAIをつくる段階に来ること、その優秀なAIがさらに優秀なAIをつくり、それがまた優秀なAIを……というように、人間が想像もできない超知性が出現すると予想しています。

　アメリカの未来学者レイ・カーツワイルは、コンピュータの速度が指数関数的に増大して、ある時点で全人類の知的能力を凌駕すると予想しています。その時点を**技術的特異点**と呼び、彼によれば2045年がその時だそうです。

　人間の脳をモデル化したニューロネットワーク。それを基礎としたコンピュータが、人間の脳の能力を超えて技術的特異点を実現できるのかは議論の分かれるところではあります。

未来学者レイ・カーツワイルの予想

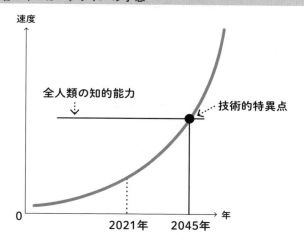

しかし、そう遠くない将来に全世界のありとあらゆる利用できる情報がすべてデータベース化され、インターネットは現在とは比較にならないほどスピードが速くなり、あらゆる人が情報を共有化することは間違いないでしょう。

さらに、カーツワイルは「人間の脳とコンピュータを繋げて、人間の"意識"をコンピュータにアップロードすることができるだろう」とも言っています。

このようなことが実現される未来こそ、人間の真価が問われるのでしょう。

4

人間に脅威をもたらす 感染症の変遷

　人類は、感染症の世界的な流行を何度も経験しています。

　現在流行中の新型コロナもそうですが、スペイン風邪やペストなど、多くの死亡者が出ることもあり、人間の脅威の１つとなっています。

　これらの感染症の原因は、細菌とウイルスなどであり、予防法や治療法が異なります。まずは、「感染症とは何か」「細菌とウイルスの違い」についてお話ししましょう。

感染症を引き起こす細菌とウイルス

　病原体が体内に入って、さまざまな症状を起こす病気のことを**感染症**と言います。病原体の代表的なものは、細菌とウイルスです。

　一般的に、細菌のほうがウイルスよりも約10〜100倍大きいと言われています。

　さらに、細菌は生物のため、膜で仕切られた細胞をもち、代謝して（栄養を取って活動を維持すること）、子孫を残すことができます。

　しかし、ウイルスは自分だけでは代謝を行うことができません。

　つまり、この意味でChapter 1 でお話しした生物の定義（54ペ

ージ参照)をクリアしていないため、生物ではないと言えます(生物の完全な定義はありませんが、ウイルスには生物の定義とされている要素が欠如していることは明らかです)。ウイルスは、人などの生きた細胞の中に入り込み、自分のコピーをつくって増殖するのです。

4大感染症

　細菌とウイルスの違いが分かったところで、人間の歴史において特に脅威的な感染症を4つご紹介しましょう。

1. 膨大な死者をもたらしたペスト (細菌)

　14世紀、ヨーロッパでは、当時の世界人口における20%以上、推定1億人の人が死亡しました。原因は、ペストです。

　このときの流行が初めてだったわけではなく、ペストの大流行は14世紀以前にも、何度となく繰り返し起きていました。

　19世紀末、香港における流行の際、日本の医学者・細菌学者北里柴三郎氏が、原因であるペスト菌を発見したことで、感染経路が解明され、抗生物質の投与によって、その後ペストが流行することはなくなりました。

北里柴三郎

2．致死率の高いコレラ（細菌）

　コレラは、過去に何度も世界的大流行（パンデミック）を起こしています。日本では、江戸時代に3度もコレラの流行に襲われました。特に幕末に起こったコレラの流行では、日本だけで20万人以上が亡くなったと言われています。

　1883年、ドイツの医師・細菌学者ロベルト・コッホによって、コレラ菌が発見されました。その後、抗生物質が発明され、コレラの流行は終息したのです。

3．生物兵器として使われた天然痘（ウイルス）

　8世紀、奈良時代の日本で流行した天然痘によって、当時の人口の4分の1に当たる約100万人が死亡したとされています。

　16世紀にヨーロッパから新大陸に生物兵器としてもち込まれた天然痘は、アステカ帝国やインカ帝国滅亡の一因となりました。

　1796年、イギリスの医師エドワード・ジェンナーが天然痘のワクチンを開発して以降、天然痘の大流行はなくなり、1980年には自然界の天然痘が地球上から姿を消しました。

4．現在のインフルエンザであるスペイン風邪（ウイルス）

　1918年から1920年にかけて、通称スペイン風邪として知られるインフルエンザのパンデミックが起こりました。当時、世界人口の3分の1ほどが感染し、1億人とも言われる死者が出ました。

　当時、人類にとってスペイン風邪のウイルスは未知のものだったため、何の防御システムも働かず大流行をもたらしたのです。

　ちなみに、スペイン風邪のウイルスの正体が鳥インフルエンザの突然変異だったことは、1997年にアラスカの凍土からスペイン風邪で亡くなった遺体が発掘されたことで分かりました。遺体から採取された肺組織にウイルスが残っていたのです。

感染症の救世主

　生体は自分の組織ではない異物が体内に取り込まれたとき、それを識別し、排除しようとするシステム（免疫）が備わっています。

　たとえば、一度かかった病気にはかかりにくくなる、あるいはかかっても重症化しないのです。

　しかし、細菌やウイルスが未知のものである場合、免疫システムは働きません。

　そのため、感染症の予防と対策が必要であるものの、その方法は病原体によって異なります。

　細菌に対しては、感染した人に対して抗生物質の投与が効果的であることが分かりました。

　1928年、イギリスの細菌学者アレクサンダー・フレミングが発見したペニシリンは、世界初の抗生物質だと言われています。その後も、アメリカの生化学者セルマン・ワックスマンが、ペニシリンが効かない結核菌の抗生物質（ストレプトマイシン）を発見したりと、多くの抗生物質が発見されたことで、医学は進歩を遂げてきたのです。

しかし、新型コロナウイルスのような抗生物質が効かないウイルスによるパンデミックは、現在に至るまで引き続き起こっています。

　一方、ウイルスに対して人工的に免疫をつけるのがワクチンです。
　ジェンナーは、牛の病気である牛痘にかかった後は天然痘に感染しないことに着目し、いわゆる人体実験を行いました。その結果、牛痘の膿を接種した人たちに天然痘の膿を接種しても、天然痘にかからないことを示したのです。
　人体にはほとんど無害である牛痘ウイルスを人体に入れることで、牛痘ウイルスに対する免疫をつくり、その免疫は、よく似た天然痘ウイルスにも有効だったというわけです。
　この研究からワクチンの歴史がはじまりました。ワクチンは、あらゆるウイルスによる感染症から私たちを守ってくれているのです。

5

DNA構造の発見と
ライバルたち

　1920年代にDNAが何でできているかが分かると、次はDNAがどのような構造で、どのように遺伝情報を伝えるのかに研究の目的は変わっていきました。

　それを解明したのが、Chapter 1 でご紹介したジェームズ・ワトソンとフランシス・クリックの 2 人です（57ページ参照）。

　彼らの発見には、面白い話がいくつかありますので、ご紹介しましょう。

　ワトソンとクリックの研究の前提になったのは、「**シャルガフの法則**」です。これはDNAの中のアデニン（A）とチミン（T）の数が等しく、グアニン（G）とシトシン（C）の数も等しいというもの。

　この法則は、1950年にオーストリア出身の生化学者エルヴィン・シャルガフによって発見され、彼の名がつけられました。

シャルガフ

DNAの解明は早い者勝ちだった

　1950年代、DNA構造の解明の研究は、競争の激しいテーマでした。

　ロンドン大学のキングス・カレッジにも、DNAの構造をX線構造回折という方法で研究しているグループがあり、イギリスの生物物理学者モーリス・ウィルキンスがボスを務めていました。

　X線構造回折とは、X線が散乱される状態から結晶の構造を探る方法です。

　1951年、X線構造回折で成果を上げていたイギリスの物理化学者・結晶学者でありユダヤ人女性のロザリンド・フランクリンが、キングス・カレッジに職を得ました。しかし、同じX線構造回折の研究をしているウィルキンスが、彼女を同等に扱っていなかったため2人の仲は険悪に……。それは、フランクリンがウィルキンスに対して、「DNA研究から手を引け」と言うほどでした。

ウィルキンス

フランクリン

　フランクリンは非常に能力が高かったので、すぐに独力で
DNAに含まれる水分量の違いからDNAにはＡ型とＢ型の２種類
があることを解明しました。

　さらに、Ａ型とＢ型それぞれについて実験を積み重ねたことで、
1952年にＢ型のDNA構造が二重らせんをしている決定的なＸ線
画像を得ました。

　その頃、ワトソンとクリックはＸ線の実験ではなく、理論的に
模型を使ってDNAの構造をあれこれ思案していました。その様
子を見たフランクリンは、あからさまに彼らの方法を軽蔑してい
たようです。

　なぜなら、「Ｘ線構造回析という物理学のまっとうな方法こそ
が適しており、この方法でしかDNAの真の姿を解明することは
できない」と信じていたため。

　当然、ワトソンたちとも険悪な関係に……。

　そんなある日、ウィルキンスはフランクリンが撮ったＸ線画像
をこっそりと持ち出し、それをワトソンに見せました。

　さらにクリックも、フランクリンが提出した研究報告書をこっ
そりと見る機会がありました。

　DNAの構造についてあれこれ考えていたワトソンたちにとっ
て、その画像や報告書が大きなヒントになったことは想像に難く
ありません。

DNA構造が明らかになった

　1953年４月、20世紀の生物学にとって最も重要なDNAの構造に関する２ページの短い論文が総合学術誌「Nature」に掲載されました。「Nature」は、さまざまな学問分野における信頼性の高い論文を掲載しており、「Nature」に論文が載ることは、研究者にとって名誉あることと言えます。

　このときの「Nature」には、３つのDNAに関する論文が掲載されていました。短い論文とDNAのＸ線構造回析画像の論文２本。２本の論文は、ウィルキンスとフランクリンが別々に投稿したものでした。

　フランクリンは、１年前の1952年の段階でＢ型のDNAには構造が二重らせんであるＸ線画像を得ていたので、Ｂ型のDNAに限ってではありますが、二重らせんの論文を投稿することもできたのですが、フランクリンはＡ型とＢ型の両方の構造を回析して初めてDNAの全体像が解明できると思ったのか、より複雑なDNA構造をもったＡ型の回析に進んだのでした。

　しかし、彼女はＡ型のDNAの解明ができないまま、1958年に37歳という若さで亡くなりました。死因はガンで、実験で大量のＸ線を浴び続けたのが理由とも言われています。

　1962年、ワトソンとクリック、そしてウィルキンスは、DNA構造の解明と生体の情報伝達における重要性の発見に貢献したとして、ノーベル賞を受賞しました。

6
古代ギリシアから続く原子論

「不思議なことや分からないことはすべて神のせいだ」としてきた人類が、神の束縛から離れ、自身の思考によって自然の成り立ちを科学的に考えるようになったのは、紀元前6世紀頃のこと。

　現在のトルコのエーゲ海に面したイオニア地方は、ギリシアとオリエントを結ぶ国際的な交易で栄えていました。多くの民族が行き交うこの裕福な地方に、自然哲学者と呼ばれる人々が現れました。そして、「**万物の根源とは何か**」という議論がはじまりました。ターレスは火、ヘラクレイトスは水こそが万物の根源だと主張しました。
　その中の1人、デモクリトスは「物質は分割不可能な微小な粒子の集まりである」という原子論を唱えました。しかし、その原子論では真空が必要とされていたため、「自然は真空を嫌う」つまり「自然に真空は存在しない」とした大勢の科学者に、原子論が広く受け入れられることはありませんでした。

　その後長い間、万物の根源は「火、水、土、空気」であるという四元素説が信じられてきました。

原子構造の解明と原子核の発見

　1909年、イギリスの物理学者・化学者アーネスト・ラザフォードの指揮のもと、ドイツの物理学者ハンス・ガイガーとイギリスの物理学者アーネスト・マースデンによって行われた実験（ガイガー・マースデンの実験、またはラザフォードの錯乱実験と呼ばれています）において、ついに原子の構造が解明されました。

　内容は、1898年にラザフォードが発見した**アルファ粒子**（後に陽子2個と中性子2個からできているヘリウムの原子核であることが分かります）を高速で金原子（実際には金箔）に衝突させるというものでした。

　実験において、アルファ粒子の多くが金箔を素通りする中、元に戻ってくる一部のアルファ粒子が発見されました。

　これは、金原子の中心のごく狭い領域に正の電荷をもった塊があることを意味します。

　正の電荷同士は、反発し合う性質があります。その力はお互いの距離が小さいほど強くなるため、アルファ粒子を元来た方向に跳ね返すには、原子核の中の正の電荷をもった塊と飛んできたアルファ粒子の距離を非常に小さくしなければならないということです。

　この距離を計算した結果、実験の結果を説明するためには、正の電荷をもった塊の大きさが、原子の大きさの1万分の1程度に

なったときに初めて、アルファ粒子が元来た方向に跳ね返されることが可能になると分かったのです。

　原子の大きさ（直径）は、大体0.1ナノメートル（100億分の1メートル）なので、正の電荷をもった塊の大きさは100兆分の1メートル。この塊を**原子核**と言い、原子の質量のほとんどを担っていることも分かりました。

　こうして、原子は正の電荷をもった原子核の周りを電子が回っているという構造が解明されたのです。

アルファ粒子とラザフォードの錯乱実験

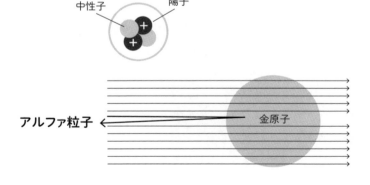

アルファ粒子

中性子　　　陽子

アルファ粒子　　　　　金原子

原子核はどこまで分解できるのか?

　原子の構造は解明されましたが、原子核はそれ以上分割できない塊なのでしょうか?

　研究を続けていく中で、「原子核はまだ分割できる」ことがすぐに分かりました。

　なぜなら、ある種の原子は原子核の中からアルファ粒子や電子を放出して壊し、別種の原子核に変わることが分かったからです。

　原子の中でいちばん軽いのは、水素（H）です。

　水素の原子核を**陽子**と言い、その周りを1個の電子が回っています。陽子のもっている電荷がプラス、電子のもっている電荷がマイナスです。

　次に軽い原子は、ヘリウム（He）です。

　ヘリウム原子は電子を2個もっています（回っています）。したがって、ヘリウム原子核は陽子2個分の正の電荷をもっています。

　このことから、ヘリウム原子核は陽子2個からできていると思うかもしれませんが、重さを測るとほぼ陽子4個分あります。

　ちなみに、酸素原子は8個の電子をもっているので、原子核は陽子8個を含んでいますが、その重さは陽子16個分です。

　一体、どういうことなのでしょうか?

　1932年、質量は陽子とほぼ同じ、ただし電荷をもたない中性の粒子（**中性子**）が発見されたことにより、この謎は解決されました。

　つまり、水素（H）以外の原子の原子核は、陽子と中性子からできていたのです。

　たとえば、ヘリウム（He）の原子核は陽子2個と中性子2個からできています。また、酸素（O）の原子核は陽子8個と中性子8個からできています。

　つまり、陽子と中性子が合わさって、陽子の個数の倍の重さになっていたのです。陽子と中性子は電荷以外の性質がよく似てい

原子構造

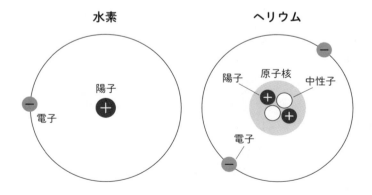

水素　　　　　　　　　　ヘリウム

陽子　原子核　中性子

電子

陽子

電子

るので、まとめて**核子**と呼ばれます。

　陽子は正の電荷をもっているので、原子核の中に複数個の陽子があるとお互いに反発しあってバラバラになるはずですが、1つの塊になっているのは、陽子や中性子の間に電気的な力（電気の力）よりもはるかに強い引力が働いているから。この力を**核力**と言います。

　実は、核力以外の力も原子核の中で働いています。ある種の原子は、電子を放出して壊し、別種の原子核に変わります。この変化は核力では説明できないため、別の力が働いた結果だと考えられています。この力が及ぼす変化は比較的ゆっくりと起こるので、**弱い力**と呼ばれます。

　つまり、自然界には物質をつくっている粒子として核子(陽子と中性子)と電子があり、それらの間に働く力は電荷をもっていれば「電気の力」（電磁気力）と核子の間に働く「核力」、原子核を壊す「弱い力」の3種類の力があるということです。

　もう1つどんな粒子にも働く「重力」がありますが、ミクロの世界に働く力としては上の3つに比べて極端に弱いので、ミクロの世界では無視されます。

　マクロな世界で重力が目立つのは、地球が莫大な質量をもっているからです。質量が大きいほど重力を強く及ぼし、また重力を強く感じます。一方、質量の小さなミクロの微小質量の粒子に対

しては無視できるのです。

　しかし、原子核が陽子と中性子の分解できるという単純明快な世界像は1950年頃まででした。その後加速器の誕生により、新たな粒子が大量発見されたことで、すぐに否定されてしまいました。

　加速器とは、電子や陽子のような電荷をもった粒子を光速近くまで加速して標的に衝突させる装置です。この加速器を使った実験で、新しい粒子が続々と発見されたのです。

　その結果、陽子と中性子もそれ以上分割できない粒子ではないことが示されました。

7

地球の生誕と構造

　私たちは生まれたときから、宇宙に浮かぶ地球という球体の上に存在しています。なぜ地球は浮くことができるのでしょうか？

　また、地球以外の星にも人間のような生命体は存在するのでしょうか？

地球はどのように生まれたのか

　突然ですが、宇宙には地球以外にどのような星があるでしょうか？

　授業で、「すいきんちかもくどってんかい（めい）」というゴロ合わせで覚えた人もいるかもしれません。

　これは太陽の周りを回っている太陽系の8個の惑星を表しており、太陽から近い順に水星、金星、地球、火星、木星、土星、天王星、海王星、（冥王星）です。

　冥王星は、2006年に定義づけられた惑星の区分から外れてしまったため、今は「すいきんちかもくどってんかい」が正しいゴロ合わせになっています。

　太陽系の中心にある太陽が誕生したのは、今から約46億年前。宇宙に水素とヘリウムを主成分とするガスが漂っているのです

が、その中でも特に密度の高いガスが収縮をはじめ、その中心部に**太陽**が生まれました。生まれたての太陽を**原始太陽**と言います。

原始太陽の周りには、原始太陽がつくられる際に使われなかったガスや、宇宙を漂っているチリなどが集まり、円盤状になりました。円盤状のものは**原始惑星系円盤**と呼ばれ、半径は100天文単位（現在の太陽と地球の距離の約100倍）です。

原始惑星系円盤は主にガスでできているので、質量の99％は水素とヘリウム。しかし、残りの約1％には酸素や窒素、マグネシウム、ケイ素、鉄など、さまざまな元素を成分とするマイクロメートルサイズの**固体微粒子**が含まれていました。

このほんのわずかな固体微粒子が積もり積もった結果、地球が誕生します。

固体微粒子は、数十万年という時間をかけて衝突・合体を繰り返し、微惑星と呼ばれる数キロメートルサイズの塊をつくります。その微惑星同士が衝突を繰り返し、原始惑星ができます。

その原始惑星同士が、**ジャイアントインパクト**（巨大衝突とも言う）と呼ばれる大衝突を繰り返して、ようやく惑星ができたのです。

地球は、ジャイアントインパクトが10回ほど起こってできたと考えられています。できたばかりの地球は、ジャイアントインパクトによる衝撃で、地球の表面はマグマオーシャンと呼ばれる溶けた岩石で覆われ、全体が溶けた状態になりました。

その後、固体微粒子の中でも質量の大きい鉄やニッケルなどが中心に沈み、比較的質量の小さい岩石質の物質が上に浮かんで、数億年かけて**コア**と**マントル**という2層構造をつくり分けていったことで、今の地球の形になったのです。

地球の構造

　地球がどのように誕生したのかが分かったところで、地球の構造についてお話ししましょう。

　地球は、半径約6,350キロメートルの球形です。中心から半径約3,000キロメートルまでは、鉄やニッケルを主成分とする金属でできている**コア**、その周りを岩石でできている**マントル**が取り

地球の内部構造

囲んでいます。

　いちばん外側は**地殻**で、厚さは大陸部で30〜40キロメートル、海洋部は大陸部よりも浅く数キロメートルです。

　地殻とマントルの境界は、モホロビチッチ不連続面（略して、モホ面）と言い、境界の発見者であるクロアチアの地震学者アンドリア・モホロビチッチの名にちなんで名づけられました。

　モホロビチッチの研究から、マントルと地殻には２つの違いがあることが分かりました。それは、構成している岩石の種類の違いと地震の波の伝わる速度の違いです。それぞれ詳しくお話ししましょう。

１．構成している岩石の種類の違い

　地球は、金属であるコアの核と、岩石のマントル、地殻で構成されていますが、コアとマントルはさらに分けることができます。

　コアは、固体の**内核**（地球の中心側）と液体の**外殻**（マントル側）の２層。

　同様に、マントルも**下部マントル**（コア側）と**上部マントル**（地殻側）の２つに分かれています。

　下部マントルと上部マントルの境目は、地表から数百キロメートルのところにあり、それぞれを構成している岩石の結晶構造が異なるのです。

　地殻は岩石でできており、特に地殻と地殻に近い上部マントルの一部を含む一枚の硬い板状の岩盤（厚さは約100キロメートル）を**プレート**と言います。

２．地震の波の伝わる速度の違い

　マントルの密度は地殻より高いため、地震の波が地殻よりも速く伝わります。

　地震は、震源地から振動が波として伝わってきます。この波にはＰ波とＳ波の２種類があり、Ｐ波が到達したことで生じる小さい揺れを**初期微動**、続いてＳ波が到達したことで生じる大きな揺れを**主要動**と言います。

　地殻におけるＰ波とＳ波の速度は、それぞれ毎秒６〜７キロメートル、毎秒3.5キロメートル程度。マントルでは、それぞれの波の速度が、１キロメートルほど速くなります。

地震における２種類の波

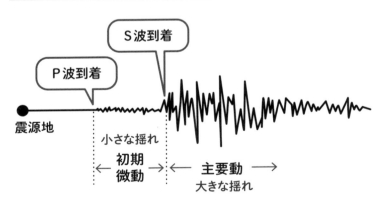

　このように、地球が誕生した経緯や地球の構造を知ることで、「なぜ地震が起こるのか」「なぜ火山が噴火するのか」など、世の中で起こっている事象を解明することができるのです。

8

地震によって発展した
地球の構造の解明

　地震は日本だけでなく、世界中で起こります。

　今日まででいちばん大きな地震は、1960年5月に南米のチリで起こった巨大チリ地震です。数十年後、モーメントマグニチュードを使って算出されたマグニチュードは9.5、エネルギーは実に東北地方太平洋沖地震の約5倍でした。

　この地震によって発生した津波は太平洋にまで波及し、まる1日かけて約17,000キロメートルも離れた日本に届いたのです。このとき、北海道から沖縄までの太平洋沿岸において、死者・行方不明者の数は142名にのぼったと言います。

　このチリ地震は、最悪な被害をもたらしましたが、その後の地球の構造や地震が起こる仕組みなどが解明され、科学分野において大きな進歩に繋がりました。

大陸移動説を提唱するも受け入れられず……

　地震はプレートの運動によって引き起こされますが、プレートの存在と、プレートが動くということが世の中に受け入れられたのは、1960年代です。

　この考えのもとになったのは、「大陸移動説」です。

　下の世界地図を見てください。南アメリカ大陸の東海岸とアフリカ大陸の西海岸の海岸線がそっくりだと思いませんか？

　1912年、ドイツの気象学者アルフレッド・ウェゲナーは、アメリカ大陸とアフリカ大陸の西海岸の海岸線を調査し、単に形だけではなく、氷河の堆積物や化石、地層が一致していること、両海岸付近に同種の植物や動物がいることなどを発見しました。

　こうしたさまざまな間接的な証拠から、太古の昔に存在した超大陸が分裂して離ればなれに移動したという「大陸移動説」を著書"Die Entstehung der Kontinente und Ozeane"（日本語版は、『大陸と海洋の起源』講談社）で提唱したのです。

　しかし、大陸を移動させるメカニズムが当時は明らかでなかっ

世界地図

アフリカ大陸
西海岸

南アメリカ大陸
東海岸

103

たため、有力な説にはなりませんでした。

大陸移動説の発展から海洋底拡大説の証明へ

　数十年経った1960年代に大陸移動説が復活し、研究が進みました。しかしその後、海底に巨大な山脈(中央海嶺)が発見され、さらにその海嶺方向に平行な地磁気（地球がもつ磁気、及び地球によって生じる地場のこと）の縞模様が見つかったことから、アメリカ海軍研究所の地質学者ロバート・ディーツとプリンストン大学の岩石学者ハリー・ヘスによって「**海洋底拡大説**」が提唱され、発展を遂げていったのです。

　105ページの図をご覧ください。

　高熱で溶けた状態の岩石が、温度が非常に高い地球の深部のマグマから上がってきます。その後、温度が下がっていき、冷えた状態で海嶺へ出てくる際、岩石中の鉄の粒子は磁場の方向にそろいます。このようにして、岩石に地球の磁場の方向が記憶されるのです。

　さらに、海底堆積物の年代を測定すると、海嶺から離れるほど古いことが分かりました。つまり、海嶺から出てきた岩石は海嶺からどんどん離れているのです。

　地球の磁場の方向は、100万年に数回ほど反転しているため、岩石の磁場の方向を調べることで、年代を推定することができます。

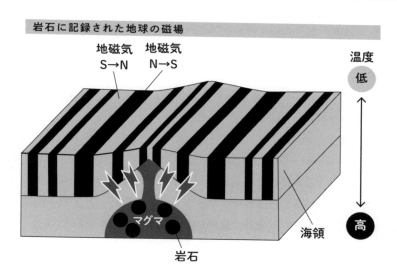

岩石に記録された地球の磁場

地磁気
S→N

地磁気
N→S

温度
低

マグマ

岩石

海領

高

　海嶺から新しい地殻が生まれ、両側に拡大していくことが観測で確認されたことから、「海洋底拡大説」が証明されました。

プレートテクトニクスによって証明された大陸移動説

　地殻の移動の原因を探る過程で海洋底拡大説が発展し、1960年代後半に提案されたのが、**プレートテクトニクス**です。

　地球内部のコアやマントル、地殻という構造は、物質の組成の違いによるものですが、力学的な運動の違いに着目すると、地表から60〜100キロメートル程度の厚さをもつ硬い岩盤（リソスフェア）と、その下の流動性をもつ岩石層（アセノスフェア）に分かれます。

流動性をもつというのは、粘土のように力を加えると変形したり、流れたりするということです。100年程度の人間の時間間隔では、岩石が硬く変形することはなく動いているようには見えませんが、100万年や1億年などという長い時間でみると、プレートの下のマントルは流れているのです。

　マントルの底にある熱いコアにより、常にマントルは熱せられています。この熱の流れによって、マントル内では熱せられた部分が上がり、冷えた部分が下がります。この運動を**マントル対流**と呼び、プレートの運動の原因の1つとなっています。

　プレートテクトニクスによって、プレートが動いていることが

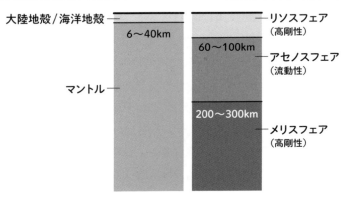

分類方法による地球内部の性質の違い

物質の組成による分類

大陸地殻/海洋地殻 —
　　　　6〜40km

マントル —

力動的な運動による分類

— リソスフェア
　（高剛性）

60〜100km

— アセノスフェア
　（流動性）

200〜300km

— メリスフェア
　（高剛性）

証明され、大陸移動説は正しかったと認められたのです。

　さらに、地震が起こるメカニズムの大筋は理解できるようになりました。しかし、地震予知ができるほどプレートの運動の原因のすべてが解明されているわけではありません。

マントル対流の仕組み

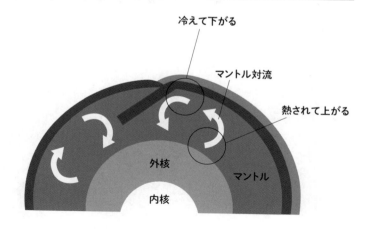

冷えて下がる

マントル対流

熱されて上がる

外核

マントル

内核

9 相対性理論と アインシュタイン

突然ですが、相対性理論は1つではないことをご存知でしょうか？

アインシュタインは、**特殊相対性理論**と**一般相対性理論**、2つの相対性理論をつくりました。

最初につくったのが特殊相対性理論なのですが、これには重力が扱えないという大きな欠点があり、その欠点をなくすために一般相対性理論をつくったのです。

相対性理論をつくったアインシュタインは怠け者？

アインシュタインは相対性理論を生み出すほどの天才です。そのため、大学時代は先生からのウケがよくありませんでした。

なぜなら、アインシュタインが授業に出なかったからです。

そのため、天才であるアインシュタインにとっては非常につまらない授業になったのでしょう。

　21歳で大学を出たもののアインシュタインは大学時代の先生のウケがよくなかったこともあり、なかなか就職口がなく、友人の父親の紹介でベルンにあるスイス特許庁に勤めることができました。ここにいたときに、特殊相対性理論をつくったのです。

　特殊相対性理論をつくってからは、だんだんと有名になり、30歳のときに大学に就職することができました。

　アインシュタインが特許庁を辞めるとき、「辞めます」と上司に伝えると、上司が心配して「この先どうするのか？」と聞いたそうです。「大学の先生になる」と答えたアインシュタインに対し、上司はあきれて「冗談もほどほどにしろ！」と怒ったそうですから、特許庁でもよほどの怠け者と映っていたのでしょう。

ミンコフスキーとアインシュタイン

　特殊相対性理論では、後にドイツの数学者ヘルマン・ミンコフスキーによって発見された**4次元時空**という考えが使われています。

　時空とは、時間と空間のことで、これらは切り離して考えることができないため、一緒のものとして考えられます。4次元時空とは、4つの次元をもつ時空のことです（詳しくは、Chapter 4でお話しします）。

　ミンコフスキーは、アインシュタインが大学生のときの数学の先生でした。1905年、特殊相対性理論が発表されたとき、ミンコフスキーは相対性理論をつくったのがアインシュタインだとは知りませんでした。後にアインシュタインだと知ったとき、「あ

の怠け者が!?」と驚いたそうです。

　これは、アインシュタインが大学の先生たちにどのように思われていたかがよく分かる話でしょう。

　当初、アインシュタインは4次元時空という考え方が嫌いだったようです。なぜなら、数学者が不必要に難しく考えていると感じたから。

　しかし、実は数学者ミンコフスキーが偉大であったため、アインシュタインがその真価に気づけなかったのです。

　特殊相対性理論から一般相対性理論をつくるまで10年かかっているのですが、アインシュタインはその過程で4次元時空の真価に気づいたようです。

　ちなみに、アインシュタインが特殊相対性理論を発表した1905年は、奇跡の年と呼ばれています。

　なぜなら、後に量子力学に発展した光の粒子説に関する研究（光電効果）と223ページでお話しするブラウン運動の研究を発表したからです。

　これら3つの研究は、どれ1つとってもノーベル賞の対象になるような研究です。実際、アインシュタインは1921年に光電効果でノーベル賞を受賞しました。

ミンコフスキー

10

ミクロな世界を支配する量子力学

　日本でも人気の高いマーベル作品（映画）の１つに、『アントマン』があります。アントマンは、特別なスーツを着用した身長わずか1.5センチメートルのヒーロー。小さいながらも繰り出す攻撃は重く、素早い――。

　目視するのさえ難しいため、敵に回すと厄介なヒーローです。アントマンは、対象を大きくしたり、小さくすることもできるため、自身をより小さくしてChapter 1 でお話しした元素や原子などのミクロの世界へ入ることも可能だと言います。

- - - - - - - - - - - - - - - - - - - -
「量子力学」って何？
- - - - - - - - - - - - - - - - - - - -

　酸素原子（O）は、８個の陽子と８個の中性子からできた原子核の周りを８個の電子が回っています。

　この原子核の周りを回っている電子の運動を支配しているのが、「**量子力学**」です。

　量子力学は電子ばかりでなく、原子核の中の陽子や中性子の運動も支配しています。つまり、ミクロの世界を支配する法則と言っていいでしょう。

このミクロの世界に対して、私たちが経験する世界をマクロな世界と呼びましょう。ミクロとマクロの境界は、はっきりしていません。実はこれが大問題なのですが、このお話については少し難しいのでChapter 4で詳しく説明しましょう。

　量子力学が確立されるまで、「原子は光を吸収したり、放出したりしますが、原子によっては特定の波長の光しか吸収・放出しないこと」が知られていました。
　たとえば、水素原子（H）は人間の目で認識できる範囲において、410・434・486・656ナノメートルという飛び飛びの波長の光を吸収・放出します。
　このような事象から、
「そもそも、なぜ原子は存在できるのか？」
「なぜ飛び飛びの光しか吸収・放出しない原子が存在するのか？」
などの疑問が提示され、これらを解明するために、量子力学が生まれたのです。

　1913年、デンマークの理論物理学者ニールス・ボーアが、原子モデル（**ボーアの原子模型**）を提唱しました。現在、「電子は波の性質をもっている」ことが分かっていますが、ボーアが言及したのではありません。しかし、彼は天才的な直感で、電子にある条件（ボーアの条件）をつけたのです。
　それを明らかにしたのは、フランスの理論物理学者ルイ・ド・ブロイ。1924年、彼が「電子は波の性質をもっている」ことを

指摘し、ボーアの条件は、「電子の波が原子核の周りを一周する（原子核の円周の長さの整数倍になる）と、スムーズに繋がる」という意味を明らかにしました。それが、**ド・ブロイの物質波**です。

　ボーアは原子構造の解明などにより1922年、ド・ブロイは電子の特徴を発見したことにより1929年に、それぞれノーベル物理学賞を受賞しています。

ボーアの原子模型とド・ブロイの物質波

ボーア　　　　　　　　　　ド・ブロイ

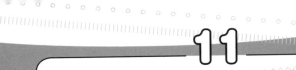

素数の魅力

　素数は、暗号として使われ、セキュリティに役立てられているとお話ししましたが、科学者の中には素数に魅入られて研究している人も多いのです。

ギリシア時代にはじまった素数の研究

　素数の研究は、古代ギリシアの数学・天文学者ユークリッド（エウクレイデス）からはじまります。

　紀元前3世紀、ユークリッドは著書『ユークリッド原論』（共立出版）の中で、**素数が無限にある**ことを証明しました。

　同じ頃、素数を見つける方法を発見したギリシア人哲学者がいました。それは、エジプトのアレキサンドリアの図書館の館長でもあったエラトステネスです。

　この方法を「**エラトステネスのふるい**」と言い、たとえば1から100までの数があった場合、「最初の素数（この場合は、2）の倍数を消して、残った最小の数（この場合は、3）が素数になる」ということを繰り返します。

エトラステネスのふるい

2の倍数

1　2　3　̸4　5　̸6　7……̸96　97　̸98　99　̸100
　　↑
　　いちばん小さい素数

3の倍数

1　3　5　7　̸9　11　13　̸15　17　19……97　̸99
　　↑
　　いちばん小さい素数

5の倍数

1　5　7　11　13　17　19　22　23　̸25……̸95　97
　　↑
　　いちばん小さい素数
……

素数に魅せられた科学者たち

　ユークリッドの証明から、素数が無限にあることは分かるものの、「どのような法則で素数が現れるのか」「法則はなく全く適当に現れるのか」「素数を見つけ出す方法はあるのか」など、多くの数学者が素数の疑問に取り組んできました。

　その中の1つに、**メルセンヌ数**と呼ばれる数があります。これは、『ユークリッド原論』の中で $2^n - 1$（nは自然数）と表されており、後にメルセンヌ数と名づけられました。

　たとえば、nが1，2，3，4，5の場合、メルセンヌ数は1，

3，7，15，31となります。つまり、$2^n - 1$が素数ならば、n
も素数です。しかし、反対に「nが素数の場合は$2^n - 1$が素数
になる」わけではないのです。

1644年、フランスの神学者マラン・メルセンヌは、n = 2，3，
5，7，13，17，19，31，67，127，257のとき、$2^n - 1$が素
数になることを予想しました。

このことから、$2^n - 1$をメルセンヌ数、素数になる$2^n - 1$を
メルセンヌ素数と呼ぶことになったのです。彼自身はこのことを
証明することはできずに亡くなりました。

メルセンヌは神学者ですが、数学や物理学、哲学、音楽など幅
広い分野の研究をしていました。彼は、フランスの数学者ピエー
ル・ド・フェルマーやフランスの哲学者・数学者ルネ・デカルト
たちと交友があり、特にフェルマーとの議論を通して素数に興味
をもっていたので、メルセンヌ素数を予想することができたので
しょう。

メルセンヌの予想から100年以上経った1772年、n=31のとき
メルセンヌ数が素数になることは、数学史上最高の天才の1人、
レオンハルト・オイラーによって証明されました。

その後も証明は続けられ、n=67のときは素数ではなく、
n=127のときは素数であること、新たにn=61，89，107のとき
も素数であることが分かりました。そして、1922年になってよ
うやく、n=257のときには素数にならないことが明らかになった

素数の発見

メルセンヌの予想

n = 2，3，5，7，13, 17, 19, 31, 67, 127, 257のとき
$2^n - 1$ が素数になる

1772年オイラーによる証明

n=31のとき　$2^n - 1$ が素数になる

その後の証明

n=67のとき　$2^n - 1$ は素数ではない
n=127のとき　$2^n - 1$ が素数
新たにn=61, 89, 107のとき　$2^n - 1$ が素数

1922年

n=257のとき　$2^n - 1$ は素数ではない

2021年現在

見つかったメルセンヌ素数は、51個（n=82589933）

オイラー

のです。

　メルセンヌの予想は、一部間違っていることが明らかになりましたが、メルセンヌ数は素数を探す方法として今も利用されています。2021年現在、メルセンヌ素数は51個（n=82589933）も見つかっていますが、メルセンヌ素数が無限にあるかどうかは、今も分かっていません。

　しかし、幾人もの科学者が素数という存在に魅了され、その謎を解明するために研究をしてきました。

　このほかにも素数にまつわる謎はいくつもあり、その1つがChapter 4でお話しするリーマン予想なのです。

リーマン

数学と音楽

「数学者や物理学者には音楽好きが多い」と、聞いたことはあるでしょうか?

　天才物理学者アインシュタインもヴァイオリンをこよなく愛していたと言います。実は、数学・物理学と音楽には、切っても切れない関係があるのです。

　世界大学ランキング2021(英国Quacquarelli Symonds)において、第1位だったマサチューセッツ工科大学(Massachusetts Institute of Technology:MIT)はノーベル賞受賞者を多く出している大学として有名ですが、一見科学と関係なさそうに思える音楽の授業を取り入れていると言います。

ヴァイオリンと調和級数

　アインシュタインが愛したヴァイオリンと関わりがあるものがあります。

　それは、**調和級数**です。

　調和級数とは、$1 + \dfrac{1}{2} + \dfrac{1}{3} + \dfrac{1}{4} + \dfrac{1}{5} + \cdots$ と、足していく項

（1の次は $\frac{1}{2}$、$\frac{1}{2}$ の次は $\frac{1}{3}$、……）がどんどん小さくなっているにもかかわらず、無限大になるというものです。

　通常、1 + 0.1 + 0.11 + 0.111 + ……のように、前の項よりも小さい数字を足しても、その和は大きな数字にはなり得ません。

　しかし、調和級数では足していく項がどんどん小さくなるにもかかわらず、その和は無限に大きくなるのです。

　調和級数が無限に大きくなるという証明は、あらゆる数学者が挑戦してきましたが、17世紀に初めてピエトロ・モンゴリ、ヨハン・ベルヌーイ、ヤコブ・ベルヌーイらによって正しい証明がなされました。

　調和級数はもともと、音楽理論との関係で研究者が興味をもったテーマです。ヴァイオリンなどの弦楽器の弦の振動から出てくる**倍音**の波長が、その弦の基本波長の $\frac{1}{2}$，$\frac{1}{3}$，$\frac{1}{4}$，……となっていることから、調和級数が注目されました。

　たとえば、ラの音は440ヘルツです。その1オクターブ上のラの音は、880ヘルツとなります。このように、ヴァイオリンでは、同じ音で1オクターブ上がることにより、周波数が倍になっている、つまり倍音になっていることが分かります。

　周波数とは、Chapter 1 でお話ししたように、1秒間に波打つ回数のこと（17ページ参照）。つまり、一定の時間に何回波が出現しているのかを表すもので、440ヘルツは1秒間に440回の波が出現しているという意味です。

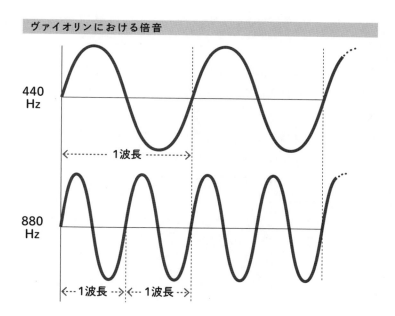

ヴァイオリンにおける倍音

440
Hz

←------- 1波長 -------→

880
Hz

←--- 1波長 ---→←--- 1波長 ---→

　同様に、880ヘルツは、1秒間に880回の波が出現し、440ヘルツの倍の波の数になります。

　ちなみに、英語で調和級数は"**harmonic** series"、倍音は"**harmonic** sound"と言います。名前からも、音楽を色濃く感じられるテーマだと言えるでしょう。

　私たちは、Chapter 2でご紹介した偉人と言われる科学者の研究の結果のもと、恩恵を受けて生活していることが往々にしてあります。

科学者たちは、興味や関心をもち、好奇心の赴くままに研究することで、新たな発見をしてきました。その発見が役立つかどうかは時代によっても変わります。電磁波のように発見された当初は役に立たないとされている科学も、数百年先にはとても役立っている可能性ももちろんあります。

　これまで科学者たちが発見してきた理論や現象、技術も同様です。数百年前には役に立たないとされていた科学が、現在ではなくてはならない存在になっているのです。

Chapter

3

身の回りにある科学の仕組みと
不思議な科学

日常生活に欠かせない
電化製品

　科学はある意味ものの考え方ですが、一方で私たちの生活そのものを豊かにしてくれるものでもあります。

　たとえば電磁波は、スマホのほかに、電子レンジやIHクッキングヒーター（電磁調理器）など、家庭でも使われているとお伝えしました。

　特に電子レンジは、電磁波だけでなく、物質が原子や分子からできているという知識がなければ生まれてくることはなかったでしょう。

食べものを温める電子レンジの仕組み

　食品の中には水分が含まれています。

　水は水分子（H_2O）の集まりです。1つの酸素原子（O）に2つの水素原子（H）がくっついた形になっていて、分子全体としては電荷をもっていません。

　しかし、細かく見ると、酸素はマイナス（−）に、水素はプラス（＋）に帯電しています。そこに電波が当たると、プラス電荷とマイナス電荷に力が働き、水分子が振動します。

電子レンジに使われている電波は、2.4ギガヘルツ帯（1ギガヘルツは、1ヘルツの10億倍）。

つまり、電気や磁気が強くなったり弱くなったりする振動が、1秒間に24億回起こっているということになります。

この電波によって食品の中のすべての水分子が、1秒間に24億回振動させられ、その影響で食品は熱くなるのです。

- -

やかんや鍋の水を沸騰させる電磁調理器

- -

昨今のオール電化の普及に伴い、IHを使っている人も多いのではないでしょうか？

なぜ、IH本体（真ん中の円部分以外）は熱くならないのに、鍋に入れた水を置くと沸騰するのか。100年前ならば、魔法以外の何物でもないと思われるでしょう。この魔法の答えは、Chapter 2でお話しした電磁誘導です（71ページ参照）。

IHのＩはinduction、Ｈはheatingの頭文字で、日本語では**電磁誘導加熱**と言います。

　IHの丸いガラス盤の下にはぐるぐるに巻いてある銅線があり、そこに交流電流（流れる向きが周期的に変わる電流のこと。東日本では１秒間に50回、西日本では60回向きが変わる）を流すと、銅線の周りに変動する磁場が発生します。すると、ガラス盤の上に置いた金属の鍋底に変動する磁場が当たるため、鍋には渦巻き状の誘導電流（電磁誘導によって発生した電流）が流れるという仕組みです。

　調理器として実用化するには、水を沸騰させるだけの強い火力、この場合は鍋底に強い誘導電流をつくらなければなりません。そのため、非常に速く振動する強い磁場、少なくとも１秒間に約２万回振動するような交流電流が必要です。

　しかし、一般の家庭に送られてくる交流電流は、50か60ヘルツ（１秒間に50回から60回の振動）。これでは、全く不十分でした。

　1970年代までは、50か60ヘルツの交流電流を高い振動数に変換する装置（インバーター）がなかったため、IH調理器は大きくて重たく、高価でした。

　その後の1980年代以降、技術発展に伴いインバーターが開発されたことで一気に軽量化・低コスト化が進み、多くの家庭に行き渡るようになったのです。

火星の夕焼けは何色?

　夕焼けの空の色といえば、あかね色です。

　では、火星の夕焼けの空は何色だと思いますか?

　2012年から火星の探査を続けているNASAの探査機キュリオシティがこれまで送ってきた何枚もの火星の画像の中に、火星の夕暮れの風景がありました。

　火星は地球の1.5倍ほど太陽から遠いので、地球の3分の2くらいの大きさに見える太陽とともに青い空が映っていました。

　なぜ、火星の夕暮れは青いのでしょう。

そもそも、地球の昼間の空が青いのはなぜ?

　太陽からの光は、微粒子とぶつかると進行方向がさまざまな方向に変化します。これを「光の散乱」と言います。

　地球の大気は、空気分子のほかにもチリや雲粒子（無数の小さな水滴や氷の結晶などのこと）など、さまざまな微粒子を含んでいます。空気分子の大きさは、1ナノメートル（10億分の1メートル）程度です。

　一方、可視光の波長は380〜780ナノメートル程度です。色を波長で表すと、赤は約700〜780ナノメートル、青は約460〜500ナノメートル、紫は約380〜430ナノメートル。

　大気中に入ってきた太陽からの光が、空気分子（可視光の波長の数百分の1以下の大きさ）によって散乱される際、光の波長が空気分子のサイズに近いほど、つまり短ければ短いほど（紫や青）、大きく光が散乱します。

　また、空気分子は紫外領域（380ナノメートル以下）で特に強く光を散乱します。

　つまり、太陽からの光が地球の大気中を通るとき、可視光の中でいちばん波長の短い紫が最も効率よく散乱されるのです。

　紫の光が散乱されると空に広がるので、広い範囲の方向から紫の光が目に届きます。

　しかし、太陽からの光の中で紫の光は強くなく、さらに人間の

目は紫に対して感度が低い（紫の波長は約380〜430ナノメート
ルと紫外領域に近い）ので、結果的に散乱した光の中で紫の次に
波長の短い藍色や青色が最も多いと感じます。

　これが、空が青く見える理由です。

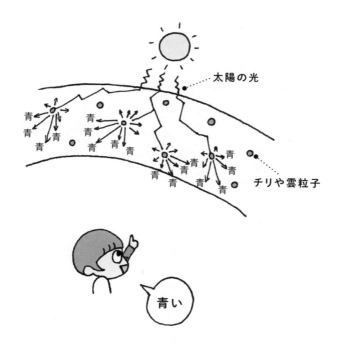

光は私たちの目に届く前に散り散りになっている?

　朝や夕方には、太陽が地平線近くに見えます。このとき、太陽の光は大気中を長く通り抜けることになります。

　太陽からの光が地球の大気中を通るとき、可視光の中でいちばん波長の短い紫が最も効率よく散乱されるとお伝えしましたが、光が大気中を長く通り抜ける際は紫だけでなく、藍色の光や青い光も私たちの目に届く前にほとんど散乱されてしまい（**レイリー散乱**）、主に赤い光が届くことになります。なお、赤い光も空気分子によってある程度は散乱を受けるため、太陽の周りが赤く見えるのです。

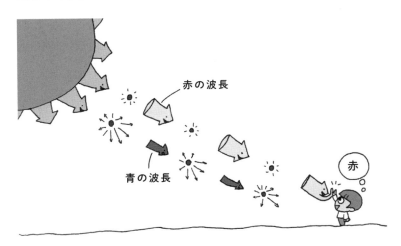

赤の波長

青の波長

赤

火星と地球は似て非なるもの

　火星にも地球と同じく大気があります。ならば、地球と同じことが起こるのではと思うかもしれませんが、実際はだいぶ事情が違ってきます。

　まず火星の大気は非常に薄いため、地面から巻き上げられた微小なチリによって光が散乱します。
　光は、光の波長と同程度のサイズの粒子に強く散乱されるという性質がありますが、火星にある微妙なチリのサイズが赤色の波長と同程度なのです。
　こうして火星の場合、赤い光がより多く散乱されて昼間の空の色は赤っぽくなります。ここまでくるともう火星の夕焼けの色が分かりますね。
　昼夜の色が地球と逆になるのです。
　夕方、太陽の光が火星の大気中を長く通り抜けることで、赤い光は散乱されてしまうため、比較的散乱されにくい青い光が多く目に届くことになるのです。
　その結果、火星の夕焼けは青いのです。

雲が白く見えるのはなぜ?

　火星の夕焼けは青色、というお話をしましたが、雲が白く見えるのも、光の散乱によるものです。

　雲は雲粒子からできており、雲が白く見えるのは、雲粒子が光の散乱（**ミー散乱**）を起こしているから。

　雲粒子の大きさは、半径0.001〜0.01ミリメートル（1,000〜10,000ナノメートル）であり、可視光の波長（380〜780ナノメートル程度）より約2〜3倍長い程度です。

　ミー散乱では、すべての波長の光が同じ強さで散乱されるため、白く見えるのです。

　また、人間と動物では色の見え方が異なります。

　たとえば、ミツバチは、人間には見えない紫外線の波長が見えますが、赤色の波長は見えません。

　つまり、ミツバチは人間よりも紫の光の感度が強いので、空は紫色に見え、赤の光の感度が悪いので、夕焼けは黄色に見えるでしょう。

太陽光

雲粒子

雲

白い

顔のパーツを数値化して 照合する顔認証システム

　建物への入退室確認やスマホのロック解除など、カメラに映った「顔」によって本人かどうか確認できる「顔認証システム」が今や主流となってきました。

　しかし、双子では顔認証の精度が落ちるなど、さまざまな問題点も指摘されています。

　ここでは、顔認証がどのような仕組みで可能になっているのかをお話ししましょう。

顔にかざすだけでロックが解除される仕組み

　顔認証は、Chapter 2 でお話ししたディープラーニング（詳しくは、77ページ）が使用されています。

　まず、コンピュータに莫大な数の顔の画像を覚えさせ、ディープラーニングによって万人に共通する顔のありとあらゆるパターンを学習しておきます。たとえば、目や鼻、口の相対的な位置関係などを数値化しておくのです。

　また、特定の人の顔もコンピュータに覚えさせ、その人の顔を数値化しておきます。

その後、顔認証したい画像（または映像）に対して、次の３つのステップが行われます。

1．顔の検出
2．顔の特徴の数値データ化
3．顔の照合

それぞれのステップについて、詳しくご説明しましょう。

1．顔の検出

画像で、顔である部分を識別することです。

画像をある程度の大きさに分割すると、分けられた１つひとつは色と明暗の信号となります。

たとえば、「目の周りにまつ毛がある」「目と鼻の位置関係」など、前もって学習していた信号のパターンと、分割した画像の信号のパターンを比較し、顔として認識するのです。

2．顔の特徴の数値データ化

画像の顔のパーツをより細分化し、特徴となる目や鼻、口、眉毛、耳などの相対的な位置関係を数値化します。

3．顔の照合

画像の顔を数値化したデータと、前もって数値化している特定の人のデータを比較することで、「〇％一致」と特定の人を認定

することができます。この照合における一致率の違いによって、顔認証システムの精度が異なります。

　画像の中に大勢の顔があれば、それらをすべて検出・特徴の数値データ化・照合するのは、非常に骨の折れる作業です。しかし、コンピュータは演算のスピードが速いので、このような作業を一瞬のうちに行ってしまえるのです。

1. 顔の検出

2. 顔の特徴の数値データ化

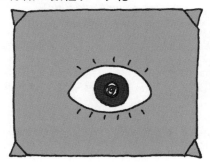

3. 顔の照合

エンドウ豆から
スタートした遺伝学

遺伝研究の第一人者であるグレゴール・ヨハン・メンデルは、エンドウ豆を使った交配実験から3つの簡単な規則を発見しました。

1．分離の法則
2．顕性（優性）の法則
3．独立（劣性）の法則

※2021年度より、名称が変更されました

親から子、子から孫への遺伝のルール

メンデルは、まずエンドウ豆に背の高いものと背の低いものの2種類があることに着目して、数年間、背の高いもの同士、背の低いもの同士を掛け合わせては観察し続けました。

その結果、背の高いもの同士を親にもつエンドウ豆（子）は背が高いものだけに、背の低いもの同士を親にもつエンドウ豆（子）は背の低いものだけになりました。

次に、背の高いエンドウ豆（親）と背の低いエンドウ豆（親）を掛け合わせると、背の高いエンドウ豆（子）だけができたので

す。

　メンデルはエンドウ豆の掛け合わせ結果から、「遺伝の性質には強いものと弱いものがある」と考え、強い性質を**顕性**、弱い性質を**潜性**と呼びました。

　遺伝学では、遺伝によって伝えられる性質のことを**形質**と呼びます。

　さらに、背が高いエンドウ豆（子）同士を掛け合わせると、背の高いエンドウ豆（孫）が3、背の低いエンドウ豆（孫）が1の割合でできたのです。

1. 分離の法則

　背が高い・低いの形質をもたらす物質（遺伝子）があり、親から子にその1つずつの遺伝子が対等に受け継がれるとします。これが「**分離の法則**」です。

　背が高い遺伝子を「X」、背が低い遺伝子を「x」とすると、本来エンドウ豆のもつ遺伝子は、Xxかx Xのどちらかになります。

　メンデルが数年かけて、背の高いグループと背の低いグループに分けたということは、XXの遺伝子だけをもつグループと、xxの遺伝子だけをもつグループに分けたことに相当します。

　背の高いエンドウ豆（親）と背の低いエンドウ豆（親）を掛け合わせ、つまりXXとxxの遺伝子をもったエンドウ豆（親）を掛

け合わせると、XXの「X」と、xxの「x」をもらう2通りになります。いずれもXとxの遺伝子の組み合わせです。

それにもかかわらず、できたエンドウ豆（子）の背がすべて高かったということは、もっている2つの遺伝子に強弱があるということです。

2. 顕性の法則

形質が現れるほうを**顕性遺伝子**、現れないほうを**潜性遺伝子**と言います。親が「XX」と「xx」だった場合、子の世代では「Xx」または「xX」の遺伝子をもちますが、形質として現れるのは顕性遺伝子である「X」だけ。

これが、「**顕性の法則**」です。

メンデルの実験で、孫の世代に背の高いエンドウ豆と背の低いエンドウ豆が3対1の割合でできたのは、子がいずれもXとxの遺伝子をもっていたためです。

分離の法則から生まれた孫の世代は、XX、Xx、xX、xxの4つの遺伝子をもっている可能性があり、顕性遺伝子である「X」を含むものと含んでいないものの割合が3：1だったからとして説明できます。

メンデルの法則

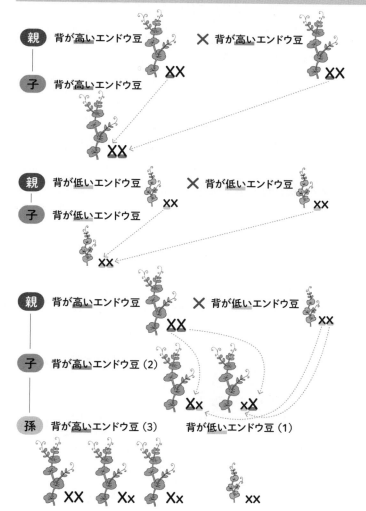

親　背が高いエンドウ豆　✕　背が高いエンドウ豆

子　背が高いエンドウ豆

親　背が低いエンドウ豆　✕　背が低いエンドウ豆

子　背が低いエンドウ豆

親　背が高いエンドウ豆　✕　背が低いエンドウ豆

子　背が高いエンドウ豆 (2)

孫　背が高いエンドウ豆 (3)　背が低いエンドウ豆 (1)

3. 独立の法則

「**独立の法則**」とは、エンドウ豆には背の高い・低いだけでなく、ほかの形質があり、それぞれが無関係に遺伝するということです。

　たとえば、色が緑のものと黄色いものや、形が丸いものやしわがあるものなど、いくつかの形質をもっています。

　独立の法則とは、「背の高いエンドウ豆は、必ず黄色」などといった異なる形質の間には何も関係がありません。つまり、背の高いエンドウ豆には黄色も緑色もあり、背の低いエンドウ豆にも黄色や緑色があるということです。

　このように、メンデルが長年かけて行ったエンドウ豆の研究によって、遺伝の仕組みが解明され、遺伝子の正体や構造の研究へと進んでいくのです。

私たちを形づくる遺伝子

　メンデル以降、遺伝研究のテーマは、「遺伝子の正体は何か」
を解明することに移っていきました。しかし、そう簡単には解明
できませんでした。

　多くの研究の中で特に取り上げられているのは、イギリスの医
師フレデリック・グリフィスによる世界初の遺伝子操作実験でし
ょう。

　遺伝子操作とは、ある生物がもつ遺伝子の一部をほかの生物の
細胞に入れたりするなど、人為的に遺伝子を操作することです。

- -

遺伝子操作の実験

- -

　1928年、グリフィスはスペイン風邪における肺炎を抑制する
ワクチンの開発を試みていました。

　彼が行っていたのは、2種類の肺炎菌をハツカネズミ（ネズミ）
に感染させる実験です。

　2種類の肺炎菌とは、病原性があるため肺炎を引き起こしてネ
ズミを死に至らせるもの（S型菌）と、病原性がないもの（R型
菌）です。ただし、S型菌を加熱・殺菌すると病原性を失うため、
感染させてもネズミは死にません。

143

グリフィスは実験の過程で、Ｒ型菌と殺菌したＳ型菌の両方を
ネズミに感染させました。

　すると、細菌を個別に投与した際は肺炎にならなかったのに、
両方の細菌に感染させたネズミは肺炎を発症して死んでしまった
のです。

　死んだネズミを解剖して調べていると、血液からＲ型菌とＳ型
菌が見つかりました。

　グリフィスがネズミに感染させたのは、「Ｒ型菌」と「殺菌し
たＳ型菌」。しかし、ネズミからは「Ｓ型菌」が見つかったのです。

　この実験結果から、たとえ殺菌して病原性を失ったとしても、
病原性の形質をもった遺伝子は破壊されないこと、さらに病原性
のない細菌（ここではＲ型菌）に取り込まれることでその性質を
変えた（**形質転換**）のだ、とグリフィスは考えました。

　しかし、彼は「この形質をもった遺伝子とは何か」まで解明す
ることはできませんでした。

　グリフィスの死後、彼の遺伝子操作の説の検証を目的とした実
験が数々行われていきました。その中で有名なのは、1940年代
に行われた「アベリー・マクロード・マッカーティの実験」です。

グリフィスの遺伝子操作実験

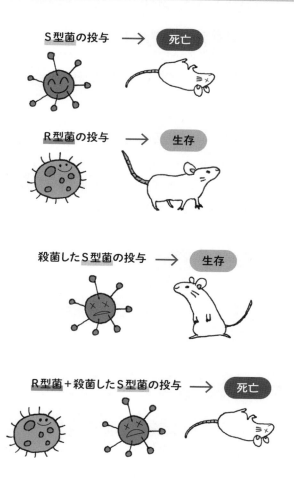

S型菌の投与 → 死亡

R型菌の投与 → 生存

殺菌したS型菌の投与 → 生存

R型菌＋殺菌したS型菌の投与 → 死亡

ニューヨークのロックフェラー医学研究センターで、アメリカ人医師・医学研究者オズワルド・アベリーが中心となって行われたこの実験では、病原性のない細菌の中のいろいろな物質を順番に壊して形質転換が起こるかどうかを調べました。

　その結果、形質をつかさどる遺伝子の情報をもっているのがDNAであるということが確認されたのです。

　ちなみにこのロックフェラーセンターには、日本で初めて紙幣になった科学者の野口英世が1904年から1928年まで勤務していました。1965年からはロックフェラー大学となり、2020年までに26人のノーベル賞を受賞した科学者を輩出している名門中の名門大学です。

アミノ酸を形成する
4つの塩基

　1869年、フリードリッヒ・ミーシャが核酸（DNA）を発見した以降、Chapter 2でお話ししたようにDNA構造を解明するために激しい研究競争がなされていました。

　そのかいあって、DNA構造は解明され、生命の仕組みが少しずつ紐解かれていきました。

DNAとRNAの構造

　DNAの日本名はデオキシリボ核酸と言い、デ・オキシ・リボースという名前の「糖」から来ています。

　リボースとは、炭素原子が5個からなる有機物（炭素原子からできた物質）であることを意味しています。

　デ・オキシとは、酸素原子（オキシジェン）を1つ取り除いた（デ）ということです。

　DNAの名前の最後に、核酸がついているのは、細胞の核の中にある物質だからです。

　このデオキシリボ核酸にリン酸と4種類の塩基がついたものが、**ヌクレオチド**です。ヌクレオチド同士はリン酸を通して繋が

り、片側に突起（塩基）がついた長い「ひも」のような形状をしています。

　デ・オキシ・リボースの中で、デオキシリボ核酸の各炭素に結合するリン酸が決まっているため、ヌクレオチドが繋がった「ひも」に上や下の方向を与えることができます。

　この「ひも」から出た突起（塩基）は、別のひもの突起（塩基）と結びつくのですが、その際、アデニン（A）はチミン（T）とのみ、グアニン（G）はシトシン（C）としか結びつきません。

　さらに、この2本の「ひも」は方向が正反対なので、梯子のような構造ができます。梯子の足場にあたるのが、塩基の対（塩基対）です。

DNAの基本構造

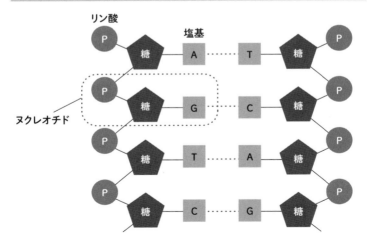

148

　この塩基対同士の間隔は0.35ナノメートルで、梯子の２本の
ひもの間隔は２ナノメートルです。
　梯子は、一回転の中に10個の塩基対が入るように右回りにね
じれています。
　これが「**二重らせん**」と呼ばれるDNAの構造です。

　ヌクレオチドが多数繋がったものには、DNAだけでなく、
RNA（リボ核酸）もあります。
　DNAは遺伝子情報であり、半永久に遺伝情報を保持します。
一方、RNAは遺伝の過程でDNAが転写されてでき、遺伝情報を
一時的に保持します（転写については、152ページでお話ししま
す）。

　RNAにはDNAと異なる箇所が２つだけありますが、ほかは同
じ構造をしています。
　１つは、DNAでデ・オキシ・リボースだったものが、リボー
スになっている点。もう1つは、塩基がアデニン（A）、グアニ
ン（G）、シトシン（C）、**ウラシル（U）**であり、１本のひもに
なっている点。
　DNAとRNAの役割は全く違うにもかかわらず、構造はたった
２つしか違わないのです。

アミノ酸の情報は4つの塩基から成り立っている

　人間の身体に不可欠なタンパク質のもとになるアミノ酸は、20種類あります。

　DNAがもっている情報は、アデニン（A）、グアニン（G）、チミン（T）、シトシン（C）の4つだけ。

　つまり、1つのアミノ酸の情報をもつのに、1つの塩基の場合は4種類、2つの塩基の場合は16種類のアミノ酸しかつくれないことになってしまいます。

　したがって、塩基の組み合わせがより多い3つの塩基の場合に、1つのアミノ酸の情報をもっていることが分かります。この3つの塩基配列の組み合わせのことを、**コドン**と言います。

　コドンを構成する3つの塩基は各4種類あるので、全部で4×4×4＝64種類になります。タンパク質のもとになるアミノ酸の20種類よりも多い数ですが、複数のコドンが1つのアミノ酸に対応することを示唆しています（実際には、アミノ酸に対応しないコドンもありますが、その役割は154ページでお話ししましょう）。

　DNA研究の進歩によって、DNAやRNAの構造が判明したことで、生物がどのように生成され、どのように遺伝情報を伝えているのかなど、生命の仕組みが徐々に明らかにされていったのです。

DNAがもつ4つの塩基とコドン

4つの塩基と組み合わせ

• アデニン（A）
• グアニン（G）
• チミン（T）
• シトシン（C）

アデニン（A）はチミン（T）
グアニン（G）はシトシン（C）
としか結びつかない

コドン

3つの塩基配列の組み合わせのこと

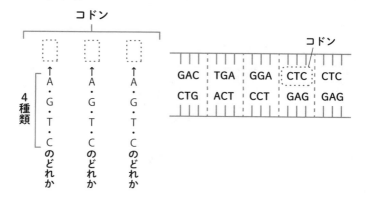

遺伝はたった2段階で 行われる

親と子の外見や性格が似ていると、「やっぱり親子だね」「遺伝なんだね」と言われることが往々にしてありますが、遺伝の流れ自体は、たった2段階で進みます。

1. 転写
2. 翻訳

遺伝では、遺伝情報が書き込まれているDNAの情報を読み取り、RNAに移されます（転写）。その後、RNAの情報も読み取られることでタンパク質が出来上がります（翻訳）。言わば、DNAは「タンパク質の設計図」のようなものなのです。

これら2つの段階について、詳しくお話ししましょう。

1. 転写

細胞の核の中にあるDNAの情報が、RNAに移されます。

この塩基DNAの2本のひものどちらかにプロモーター配列と呼ばれる特殊な塩基配列があり、それを目印にして**RNAポリメラーゼ**というタンパク質が結合します。

RNAポリメラーゼは、核の中にたくさんあるRNAの材料となるヌクレオチドを取り込み、DNAの二重らせんをほどきながらDNAの塩基配列を規則（アデニン（A）はウラシル（U）に対応させる）にしたがって、RNAにDNAの情報を移していきます。これが**転写**です。

ただし、転写されただけでは、RNAは完成しません。

DNAから情報が転写されたRNAには、タンパク質の設計には使われない領域が混じっているため、その部分を切り出したり、アミノ酸情報をもった領域をさまざまな組み合わせにしたりして、最終的に核の外（核外）に出ていくRNAが完成します。

このRNAはRNAポリメラーゼを離れ、遺伝情報を核外に運ぶので、**メッセンジャーRNA**（mRNA）と言います。

mRNAには、完成した証拠のような印が最後についています。

2．翻訳

核外に出たmRNAは、まずその頭としっぽの部分が繋がってリング状になります。

核外には、**リボソーム**といういびつな雪だるま（小さい頭と大きい胴体）のような形をした組織があります。これは、大きさ20ナノメートル程度のRNAが数本と、約50種類のタンパク質からできています。

まず、小さい部分がmRNAに結合し、mRNAのコドン情報を読んでいきます。mRNAのコドンの配列はアミノ酸配列に対応します。

　コドンの中には開始と終了を意味する**開始コドン**と**終止コドン**があります。

　コドンは全部で64種類ですが、開始コドンは（AUG）、終止コドンは（UAA）（UAG）（UGA）の３つです。

　リボソームの小さい部分が開始コドンの位置に来ると、大きい部分がやって来てリボソームが完成します。

　核外には、特定のアミノ酸に結合しているコドン（３つの塩基の組）をもったトランスファーRNA（**tRNA**）がたくさんあるのですが、リボソームの小さい部分はtRNAを取り込みます。その後、mRNAのコドンに対応するコドンをもったtRNAを結合させます。

　リボソームの大きい部分は、アミノ酸配列を結合させて設計通りのタンパク質をつくるのです。このとき、はじめからリボソームにいたRNA（**rRNA**）が酵素として働き、タンパク質の合成を助けます。

　こうして、リボソームがmRNAの情報を読みはじめてから、平均20〜60秒ほどの時間で１つのタンパク質がつくられるのです。

　小さな分子の１つひとつが目的をもって動き、複雑なタンパク質をつくっているさまは、まるで近代的な工場のようで驚くばかりです。

転写と翻訳の流れ

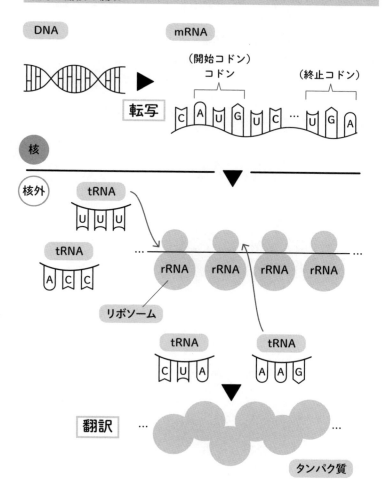

特にRNAポリメラーゼやリボソームは、まさに分子工場というべき組織で見事です。

　人間の体は約60兆という細胞があり、その中の１つひとつで日夜、言わば小さな工場が働いて命を繋いでいるのです。

感染症の発症と予防

　2019年12月、中国の武漢市で大流行した新型コロナウイルス感染症は、瞬く間に世界中に広がりました。

　2019年6月、私は武漢の大学で開催された研究会に参加していたので、12月は武漢の街を思い出しながらニュースを見ていたのですが、「半年も経てば収まるだろう」と漠然と思っていました。

　しかし、この原稿を書いている2021年6月になっても新型コロナは収まるどころか、変異株が出てきて感染が広がるなど、収まる気配がありません。

新型コロナウイルスと過去のコロナウイルス

　新型コロナウイルスは、SARS-CoV-2（重症急性呼吸器症候群コロナウイルス2の英語の略、略称はCOVID-19）という名前がつく、コロナウイルスの一種です。

　これまで人に感染するコロナウイルスは、6種類が知られていました。4種類は一般的な風邪を引き起こすウイルス（HCoV）、残りの2つは、2002年に広東省で発生したサーズ（SARS）と、2012年に中東で派生したマーズ（MERS）です。

　最後の2つは、それぞれ致死率が9.6％、34.4％と非常に危険

なウイルスです。コロナウイルスはただの風邪のウイルスだと言う人がいますが、そうでないものもあることを知っておきましょう。

　2019年に見つかったのが、7番目のコロナウイルス、SARS-CoV-2です。この名前から分かるように、ただの風邪のウイルスではありません。COVID-19というのは、このウイルスによる病気のこと（つまり、一般的な風邪ではないこと）を示しているのです。

　SARS-CoV-2のRNAの塩基配列は、発生が確認された1ヵ月後の2020年1月には解読され、約3万個の塩基配列が明らかにされました。塩基配列にはアミノ酸配列に対応するもの以外に、ウイルス自身を複製するRNAポリメラーゼなどの情報も含んでいます。

　ウイルス自身を複製するRNAポリメラーゼの情報によって細胞内に入ったウイルスは、まずRNAポリメラーゼをつくり、自分自身のRNAを複製します。複製されたRNAは、リボソームで翻訳されて種々のウイルスタンパクが合成され、増殖するのです。

　このウイルスの複製を阻害する目的でつくられたのが、レムデシビルやアビガンという治療薬です。

感染症を予防するワクチン

　治療薬は、新型コロナにかかってしまった人に対して有効ですが、そもそもかかりたくないもの……。つまり、次に必要なのは、ワクチンです。

　ちなみに、新型コロナに対するワクチンの接種が進んだ国では、感染が収束に向かっているというニュースもあります。

　2019年から急速に感染が広がった新型コロナウイルスSARS-CoV-2も、人類が初めて経験したウイルスです。

　一般的に、ウイルスは自身では増殖できないため、ほかの生物の細胞に潜り込んで増殖していきます。

　新型コロナを含むコロナウイルスは、いずれも直径約100ナノメートル程度の球形で、遺伝情報はRNAがもっています。ウイルスの表面は脂質の二重膜で覆われているため、アルコールや石鹸で容易に膜を破壊してウイルスの感染能力を失わせることができるので、アルコール消毒や手洗いが有効なのです。

　感染のメカニズムに重要なのが、表面にあるたくさんの突起で、**スパイクタンパク質**と呼ばれています（この様子が太陽のコロナのように見えることから、コロナウイルスという名前がつけられました）。

　表面の突起が、人の細胞表面のある分子と結合することで、細

胞内部に入り込んでしまうのです。

　新型コロナの発生とほぼ同時に、ワクチン開発が中国やアメリカ、ヨーロッパ、ロシアではじまりました。その中でも注目を集めたのが、mRNAワクチンです。なぜなら、このワクチンがこれまで人類に対して使われたことがなかったからです。
　RNAは、遺伝子情報を一時的に保管するうえ、非常に不安定な状態のため、ワクチンとして使用するためには高いハードルがありました。しかし、ここ数年で技術的革新が進み、実用化できるまでになったのです。詳しくは、次項目でお話ししましょう。

　ワクチンによってつくられるSARS-CoV-2に対する抗体がどの期間継続するかは、まだよく分かっていません。また、さまざまな変異種が今後も現れることが予想されます。mRNAワクチン以外のワクチンも実用に向けて研究中、あるいは開発中です。
　近いうちに新型コロナの早急な終息を期待しましょう。

mRNAワクチンの
メカニズム

　新型コロナウイルスのワクチンはmRNAワクチンと言い、従来のものと異なる大きな特徴があります。歴史の浅いワクチンということもあり、ワクチン接種に対する心配の声も多く耳にしますが、心配しすぎる必要はありません。

　ここでは、ワクチンの種類とmRNAワクチンのメカニズムについてお話ししましょう。

ワクチンの種類と仕組み

　ワクチンは、あらかじめ体に免疫をつけさせ、感染症を予防するためのものです。

　従来のワクチンは大きく分けて、**弱毒化ワクチン**と**不活化ワクチン**の2種類があります。

　エドワード・ジェンナーが開発した天然痘のワクチン（Chapter 2、82ページ参照）は、弱毒化ワクチンに分類されます。これは読んで字のごとく毒性を弱くしたワクチンを人体に接種することで、それに対する免疫を獲得させるものです。弱毒とはいっているものの生のウイルスを体内に入れるので、場合によっては重篤な**副反応**（ワクチンでは、副作用ではなく副反応と言います）

が起きることがありますが、免疫が長く続く傾向があります。

　一方、不活化ワクチンは、毒性を失い体内で増殖することのないウイルスを体内に入れることで免疫を獲得させます。弱毒化ワクチンに比べて副反応は少ないのですが、免疫の続く期間が短くなります。

mRNAワクチンは従来のワクチンと何が違うのか

　mRNAワクチンは、セントラルドグマに沿った考えから出てきたワクチンです。

　遺伝は細胞核内のDNAが塩基配列としてもっている遺伝情報をmRNAに転写し、それが核外に出てリボソームによってアミノ酸配列に翻訳され、タンパク質を合成します（152ページ参照）。

　mRNAワクチンは、SARS-CoV-2の**スパイクタンパク質**をつくる情報をもった塩基配列を化学合成したRNAのことです。このRNAを人間の細胞内に送り込むとmRNAとして働き、スパイクタンパク質をつくります。

　このタンパク質はウイルス本体ではないので、COVID-19を発症することはありません。できたスパイクタンパク質が細胞から放出されると、異物とみなされ体内に備わっている免疫細胞で捕食、分解されます。

　スパイクタンパク質の破片をさらに免疫細胞が捕食することが

繰り返され、そのタンパク質を攻撃する多数の「**抗体**」をつくられます。これによって免疫を獲得するのです。

　この抗体の数は、時間が経つにつれて少なくなっていきます。しかし、免疫細胞がスパイクタンパク質を記憶しているので、本物のウイルスが入ってきたときには、スパイクタンパク質を攻撃する抗体をすぐにつくることで、感染能力を失わせることができるのです。

　RNAは非常に不安定な状態なので、数時間、長くても数日程度でバラバラになってしまいます。そのため、ワクチンをつくる際はナノ粒子に封入します。

　ナノ粒子とは、直径10〜1,000ナノメートルの球形の脂質でできた粒子で、日用品などにもよく使われます。たとえば、日焼け止めクリームやファンデーション、消臭スプレーなどです。

　また、冷凍状態で保存する必要があります。ナノ粒子に使われるポリエチレングリコールが、アナフィラキシーショックを引き起こす可能性が指摘されていますが、インフルエンザのワクチンと比べても副反応が特に多いということはないようです。

　また、「mRNAがDNAに影響を与えてしまうのでは？」と心配する人がいますが、それは杞憂（きゆう）です。

　RNAはそもそも不安定であるうえ、DNAは細胞の核内にあり、mRNAは細胞の核外にあります。mRNAは核内に入ることはでき

ないので、DNAに影響を及ぼすことはないと言ってもいいでしょう。

ワクチンの種類と各特徴

	不活化ワクチン	弱毒ワクチン	mRNAワクチン
ウイルスの使用	する	する	しない
毒性	失っている	弱い	ない
効果期間	短い	長い	
効果強度	弱	強	中
副反応	少ない	場合によっては重篤になる	

GPSの仕組み

目的地に行くためにGoogle Mapや車のナビなどを使う人が多いでしょう。ナビにはGPS（Global Positioning System：全地球測位システムの略）機能が搭載されており、自分の位置や目的地だけでなく、経路や時間まで分かります。

車でトンネルに入っても、地下鉄に乗っていても、高精度で自分の位置情報を得ることなどもできます。

一体、どのようにして自分がどこにいるのかを知ることができているのでしょうか？

宇宙にある衛星から情報を獲得するGPS

1990年になってGPSを使ったカーナビ（カーナビゲーション）が、自動車メーカーのマツダ株式会社から登場し、現在地を自動で検出できるようになりました。

もともとGPSは、アメリカ軍が地球上のあらゆるものの位置を正確に定めるために構築したもので、高度2万キロメートルの位置に24個の衛星を配置していました。

それぞれの衛星には、正確な原子時計（原子が吸収・放出している電波や光の周波数を、振り子や時計の心臓部の振動のように

時間の基準とする時計）が搭載され、複数の衛星からの電波を受け取るのに要した時間をもとに衛星からの距離を測ることで、正確な位置を判断するという仕組みでした。

　原理的には、３つの衛星からの距離が分かれば地上の正確な位置が指定されることになります。
　しかし、実際には受信器の時計の精度を原子時計と合わせるために、もう１つの衛星からの電波を受ける必要があります。そのために少なくとも24個の衛星が必要で、最初の実用衛星は1978年に打ち上げられました。

- -
コリオリ力とジャイロセンサー
- -

　世界で初めてカーナビができたときに使われた技術が、**ジャイロセンサー**（角速度センサー）でした。

　ジャイロセンサーは回転の方向を知る装置で、この原理はChapter1でご紹介したコリオリ力です（30ページ参照）。

　車の中に、回転している小さいコマ（ジャイロ）があると想像してください。

　一定の速度でまっすぐ動いていた車が曲がると、そのコマの回転軸に遠心力が働きます。

　どの方向に、どの程度の力が働くかを測ることで、車がどの方向に、どのくらい回転したかが分かります。

　実際にはコマではなく、コマの役割をするものが搭載されているのですが、原理は同じことです。

　そのほかに、加速度センサーといって速度の変化を検出するセンサーが搭載されており、これによって、車の傾きや移動距離の情報が得られます。

　これは原理的には移動や傾きによって生じる、バネにぶら下がった重りの位置変化を測定し、加速度を求める装置です。

　最初のカーナビは、透明のセルロイドに書いた地図をブラウン管のモニターの前に差し込んで使っていました。

さらに、出発時の自分の位置を専用ペンでセルロイドの地図に書き込み、場所が変われば地図を差し替えるという、今見るとおもちゃのようなもの。

　もちろん精度は悪く、まっすぐ走っていても画面上では曲がっていくという代物でした。

ジャイロセンサー　　　　　加速度センサー

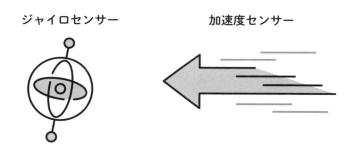

初代カーナビ

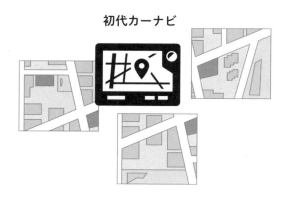

- - - - - - - - - - - - - - -

電波の速度と衛星の速度

- - - - - - - - - - - - - - -

　GPSシステムの基本原理は、衛星から電波を出した時刻と地上で受信した時刻の差から距離を出すことです。

　距離を出すためには、時間の差に電波の速度（ｖ）を掛ければいいわけですが、電波の速度（ｖ）は衛星の速度（Ｖ）に作用されます。

　たとえば、道路を秒速17.5メートル（時速63キロメートル）で通過する自動車の中から進行方向（前方向）に向けて、秒速10メートルでボールを投げた場合。道路に立っている人は、ボールが１秒間に17.5+10=27.5（メートル）進んだように見えるでしょう。

　反対に、同じ速度の自動車の中から後方向に秒速10メートルでボールを投げた場合。道路に立っている人は、ボールが１秒間に17.5−10=7.5（メートル）進んだように見えるでしょう。

　つまり、道路に立っている人から見たボールの速度は、自動車の中から前方向か後方向のどちらに投げるかで進む距離が異なり、さらに自動車の速度とボールそのものの速度を足したもの、または自動車の速度からボールそのものの速度を引いたものになります。

　自動車の例から、受信機の位置が衛星の前方向にあるときと、後方向にあるときでは、衛星から出された電波の速度が違うと思うかもしれません。

　ところが、特殊相対性理論では、「電磁波の速度は、その発生源の速度によらず常に一定の値」なのです。

　つまり、GPSのシステムは、衛星の速度によらず、衛星からの電波の速度が常に一定であることを前提に設計されているというわけです。

　また、GPSの精度は正確な時計があることで保障されます。それは、送信した時刻と受信した時刻の差に、光速（ c ）を掛けて送信機と受信機の距離を求めるからです。

　電磁波は、１秒間に30万キロメートル進みます。

　たとえば、１秒の時間差が１万分の１だけ違うと、距離にして30万キロメートルの１万分の１、すなわち30キロメートルの違いになってしまいます。これでは距離が大幅にズレてしまうの

で、何の役にも立たないのです。

原子時計だけがあってもGPSは用をなさない

　もし、アインシュタインが現れず、相対性理論が誕生しなかったとしたら……。そんな宇宙のどこかの星のお話をしましょう。

　その星では、知性をもった生命が社会をつくっていて、そこでも原子時計を発明してGPSとカーナビを開発しました。

　しかし、実際にカーナビを使ってみると、何度やっても目的地と何十キロメートルも離れた場所にたどり着いてしまったのです。その結果、その星ではGPSの利用を諦めてしまいました──。

　アインシュタインの相対性理論がなければ、GPSは成立しないというわけです。

　それはいくら正確な原子時計を用意できたとしても、送信機と受信機の時間の進み方が同じではないからです。地上の受信機に対して、送信機は高度約2万キロメートルの重力が弱い場所を秒速4キロメートルの速度で運動しています。

　つまり、相対性理論は、「**走っている時計はゆっくり進む**」「**重力が強いところで時計はゆっくり進む**」ことを予言するのです。一般相対性理論から「重力が強いところで時計はゆっくり進む」と言えるのですが、重力の弱い場所で走っている送信機の立場で見ると「特殊相対性理論は時間を遅らせる、一般相対性理論は時間を早く進める」となり、正反対の影響を与えます。

171

たとえば、地上の受信機に対して高度2万キロメートル上空に
ある送信機（GPS衛星）が、秒速4キロメートルで走っていると
しましょう。

　GPS衛星に搭載されている時計は走っているため、1秒間に
1,000億分の8.4秒だけ地上の受信機よりも遅れます。

　さらに、GPS衛星は地上に対して高度2万キロメートル上空の
重力が弱いところにいるため、1秒間に100億分の5.27秒だけ地
上の受信機よりも早く進みます。

　つまり、GPS衛星は地上にある時計に対して1秒ごとに1,000
億分の44.3秒だけ早く進んでいることになるのです。

　かなり短い時間のため、たいしたことはないと思うかもしれま
せん。しかし、この違いを1日放っておいたらどうなるか考えて
みましょう。

　1日は24時間、分にすると24（時間）×60＝1,440分、秒に
すると1,440×60＝8万6,400秒です。

　したがって、送信機と受信機の時間の差は1日で100万分の
38.3秒の差になります。これは距離にすると約11キロメートル
です。

　こんなにズレが生じるのでは、GPSは役に立ちませんよね。そ
こでGPS衛星の原子時計は、地上にある時計と同じ時を刻むよう
に調整されているのです。

　実は相対性理論による時間の進みの変化のほかにも、地球大気

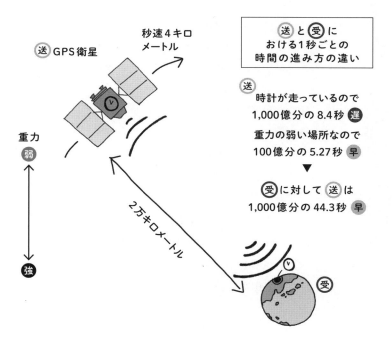

秒速4キロ
メートル

送 GPS衛星

重力
弱

強

2万キロメートル

送 と 受 に
おける1秒ごとの
時間の進み方の違い

送
時計が走っているので
1,000億分の8.4秒 遅

重力の弱い場所なので
100億分の5.27秒 早

▼

受 に対して 送 は
1,000億分の44.3秒 早

受

の電離層による光速（ｃ）の変化や、GPS信号がビルに当たった
ことによる反射、GPS信号を受け取れないトンネル内のような場
所など、さまざまな影響によって距離決定の精度が悪くなること
があります。

　しかし、地上にあるいくつかの基準局からの信号やジャイロセ
ンサーで補正したりすることによって、正確さを保てるようにな
っているのです。

　さらに、日本上空を含めた地球の一部だけをカバーする衛星４
機からなる日本版のGPS「みちびき」とGPSを同時に利用するこ
とで、距離の誤差を１メートル以内に抑えることができ、数セン
チメートルの精度の達成が見込まれています。

　このように、宇宙からナビ、顔認証、ワクチンなど、さまざま
な世界の仕組みについて科学的な側面を知ることで、今まで気づ
かなかったことや意識していなかったことを認識でき、世界の進
化を感じ新しい世界の見え方に出会えるでしょう。

Chapter

4

難しい科学を読み解く

ここからは専門的な内容になりますので、
興味がある項目だけ読んでいただいてもかまいません。

相対性理論とアインシュタイン

相対性理論は、それをつくったのが天才アインシュタインであること。そして予言する現象が私たちの常識とかけ離れていることから、難しい科学の理論の代名詞のような存在となっています。

時間と空間の常識を覆してできた相対性理論

時間は、人類に与えられている唯一平等なものと考えている人が多いでしょう。しかし、アインシュタインは「時間の流れは平等ではない」と言います。理由は、次の2つです。

● **走っている時計の進みは遅くなる**
● **重力が強いところの時計の進みは遅くなる**

これらは、次にご紹介する「**光速（c）は誰が測っても同じ値になる**」という実験事実から導かれたことです（177ページ参照）。このたった1文は読み過ごしてしまうほど短いものですが、私たちの日常経験とは全く違っています。

たとえば、速度（V）で通り過ぎる新幹線の中で、ボールを新

幹線の進行方向に速度（v）で投げたとします。これをホームに立っている人が見るとボールの速度は（V+v）、つまりボールの速度は新幹線の速度が足されたものになります。

では、ボールではなく光だったらどうでしょうか？

光速は（c）なので、ホーム上の人から見える光の速さは（V+c）になると思うのではないでしょうか。

実は、本当に光の速さが（V+c）になるのかを確かめる実験が、19世紀末に行われました。

この実験で使ったのは、地球です。地球は太陽の周りを1秒間に約28キロメートル、時速にすると約10万キロメートルという速度で回っています。

したがって、地球の進行方向に出した光と反対側に出した光の速さは、地球の速度の分だけ違っているはず。ところが、実験では光の速さには何の違いも検出できなかったのです。

つまり、「<u>光の速さは、光源や測る人の速度によって変わらない</u>」ということ。

当時の物理学者は、「光の速さは、光源や測る人の速度によって異なる」と予想していたため、困惑するばかりで、素直にこの結果を受け入れようとはしませんでした。しかし、アインシュタインは違いました。

　光速（ｃ）は秒速30万キロメートル、これは１秒間に地球を７回転半する速さです。

　一方、当時経験できる速度はせいぜい秒速10メートル、時速36キロメートルくらいです。光速（ｃ）は、その3,000万倍です。

　アインシュタインは、私たち人間が経験できる速度の何千万倍も速い光速（ｃ）に対して、「私たちの日常経験から得た常識など通用しない」と考えました。そして、実験事実を受け入れたら何が起こるかを考えたのです。

　新幹線の中からボールを投げるという先ほどの問題において、ボールが光になった場合、誰にとっても時間の進み方が同じであればボールの場合と全く同じ計算ができるため、ホーム上の人から見える光の速さは（V＋c）になります。

　つまり、「光の速さは測る人の速度によって変わる」という結論になってしまいます。

　もし、「光の速さは誰が測っても同じ」という当時の物理学者が予想していた実験結果が正しいとするならば、「**誰にとっても時間が同じように進むという常識のほうを変えるべきだ**」とアインシュタインは考えたのです。

さらに、彼は試行錯誤した結果、時間の進みだけを変えるのではなく、同時に空間の尺度も変えなければならないという結論に至りました。

これは、次のような例で説明しましょう。

爆発するはずの爆弾

たとえば、静止している状態では正確に1秒で爆発する爆弾を用意します。爆発を解除するためには、あらかじめ月面に置いた数字3桁の暗号が必要です。

そこで、爆弾をロケットに積み、秒速27万キロメートルで月に送り込むとします（ロケットは必ず暗号が置いてある場所に到着する設定です）。

176ページでお伝えした通り「走っている時計の進みは遅くなる」ため、静止している時計（時計A）に比べて、走っている時計（時計B）の進みは遅くなります。しかし、どちらの時計が静止しているかは相対的なことです。

月までの距離は38万キロメートルのため、地球上の人から見るとロケットは1.4秒で月に着くはずです。

しかし、爆弾は1秒で爆発するようにつくってあります。
「月に着く前にロケットは爆発して粉々になってしまうのでは？」と思うかもしれませんが、ロケットは月面に着いて爆発装置は無事に解除されました。

ロケットに積んだ爆発装置は、なぜ爆発しなかったのでしょうか？
それには、2つの理由があります。

1. 走っている時計の進みは遅くなるから

地球上の人が測ると、ロケットは1.4秒ほどで月に到着します。しかし、ロケットの中の時計は走っているので、地球上の人に対してゆっくり進みます。その結果、地球上の1秒が、ロケットの中では0.43秒でしかなかったため、爆発しなかったのです。

一方、ロケットに乗っている人の場合、爆発装置と同じ速さで移動しているので、爆発装置が静止しているように見えるので、1秒で爆発するはずです。

しかし、月面で爆発が解除されたという事実は、誰にとっても同じはず。では、なぜ爆弾と同じロケットに乗っている人から見ても爆弾は爆発しなかったのでしょうか？

2. 時間に合わせて空間が変化したから

これが可能なのは、地球と月までの距離が短くなることです。

地球から発射されたロケットに乗っている人からは、月に近づくにつれて、まるで月が迫ってくるように見えます。

そのため、ロケットに乗っている（静止している）人から見ると、運動しているロケットの進行方向の長さ（距離）が縮んでいます。

つまり、「走っている時計の速さが遅れる」ように、時間が運

動によってゆっくり進むとすれば、必然的に空間も運動によって
縮まなければならないのです。

　時間の遅れ方や空間の縮み方は、速度によって異なります。地
球上にいる人やロケットに乗っている人など、どんな速度の人が
測っても光の速さが同じ値になるように、時間と空間が変化する
のです。
　これが、「相対性理論」です。

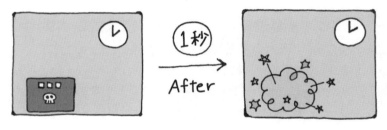

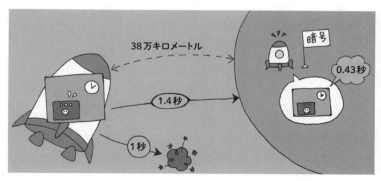

したがって、速度の違う人は違った時間や違った空間をもっているので、「時間の流れは平等ではない」のです。

時間と空間は無数にあり、誰も自分の時間と空間が絶対的であるとは主張できないのです。

同時にも「過去」と「未来」がある

「誰も自分の時間と空間が絶対的であるとは主張できない」ということから、次の結論が導かれます。

2つ以上の離れた場所で"同時"を観測できるかどうかは、その2つの場所で時刻を測る人によって異なる。

この結論を実証するために、正確な（世界標準時で）時刻を合わせた2つの時計を用意して、東京とパリに置いたとしましょう。東京とパリで、その時計で同じ時刻（いわゆる"同時"）に何か事象が起こったとします。

地球の回転や時計の移動速度は、光速（c）に比べて十分遅いため、それらによる時間の遅れは無視します。

東京とパリの中間点には、光速（c）に近い速度で移動している2つの宇宙船（AとB）がおり、船員が東京とパリで起きた事象を確認します。

それぞれの宇宙船に起きた事象が届くまで、わずかに時間がかかります。その結果、たとえば東京からパリの向きに通り過ぎる宇宙船Aが事象を受け取った際、すでにパリの方向へ進んでいる

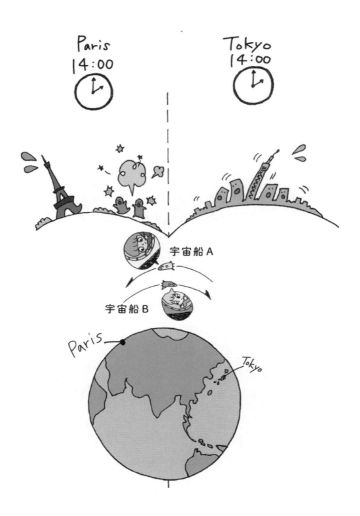

のです。つまり、宇宙船Aはパリの事象を受け取ってから、東京の事象を受け取ることになります。

　こうして、宇宙船Aにとっては、パリの事象が最初に起こり（過去）、次に東京の事象が起こった（未来）ということになるのです。

　反対に、パリから東京に進む宇宙船Bでは、東京の事象が先に起きて、パリの事象が後に起こります。

　つまり、過去と未来が観測する人によって入れ替わるというわけです。

「過去」と「未来」は別物

　しかし、未来と過去には厳然たる区別があります。

　事象Aにとって未来に起こる事象とは、事象Aを基点にしてある時間の間で光が届く距離以内で起こる事象すべてです。

　同様に、事象Aにとっての過去とは、ある時間の間に光が事象Aに届く距離以内で起こった事象すべてです。それ以外の事象（ある時間の間に光が届かない距離で起こった事象）はすべて、事象Aにとって同時であり、未来であり、過去なのです。

　つまり、ある事象にとっての絶対的な未来や過去は、「光の速さが誰にとっても同じ速度になる」ということから、時間と空間の両方の変化を考えなければならないのです。

　このような時間と空間のとらえ方が、**特殊相対性理論**です。

一般相対性理論がついにできた!

　アインシュタインが特殊相対性理論を発見した後10年の試行錯誤の末、ようやく完成したのが**一般相対性理論**です。

　この理論は、特殊相対性理論にもまして革命的でした。なぜなら、時間と空間が運動するというのです。

　おそらく多くの方が、「時間と空間が運動するとは、どういうこと?」と思われるでしょう。まずは、相対性理論で考えられている時間と空間を一緒に考えた**時空**についてお話ししましょう。

　時間と空間、つまり**4次元時空**とは、あらゆる物事が起こる舞台のようなものです。特殊相対性理論では、「運動する人の速度によって時間が遅れ、空間の尺度が変わる」という理論でしたが、この場合おおもとの4次元時空が変わるわけではありません。

4次元時空のイメージ

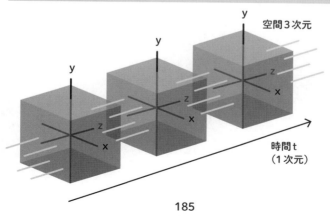

y　空間3次元

時間t
(1次元)

平たい紙に横軸と縦軸をとり、適当にメモリづけすると、紙面上の点の位置を2つの数値（原点からの横軸の距離と縦軸の距離）で決めることができます。この横軸と縦軸のとり方を変えると、同じ点でも別の2つの数で位置が表されます。

　たとえば、「横軸が5、縦軸が9」の場所を点Aとした場合。

　横軸と縦軸の取り方を変えると、「横軸が9、縦軸が5」の点Bとなります。

2次元における点の取り方

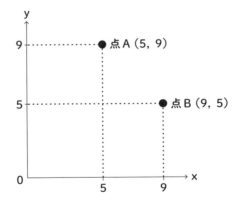

　特殊相対性理論は基本的にこの考え方と同じですが、異なる点が２つあります。

　１つは、「２次元ではなく、４次元である」こと。つまり、２次元の横軸が３方向（x, y, z）、２次元の縦軸が時間軸１つ（t）の空間軸です。

　もう１つは、これらの軸のとり方には観測する人の速度によって、「誰が測っても光の速さが同じ値になる」という条件があるということです。

　しかし、４次元時空そのものに対しては、観測者や宇宙の中に存在するすべてのものと無関係に存在すると研究者は考えています。

　アインシュタインは、一般相対性理論をつくる過程において、この４次元時空を「観測者とは無関係だが、宇宙の中に存在する物質とは無関係ではない」としました。

　これは、「宇宙の中に存在する物質（物体）の周りでは、空間が曲がり、時間が遅れる」ため、無関係ではないと帰結したのです。

　ゴムの膜に重りを置くと膜が凹むように、太陽の周りでは空間が曲がります。このとき、空間が曲がるだけでなく、時間の進みも遅れます。Chapter 2でお話しした水星の運動が、ニュートンの万有引力の法則とわずかにズレていたのは、この影響によるものです（65ページ参照）。

　太陽は地球の30万倍ほど重いのですが、空間の曲がりが大きくなるわけではありません。

　１メートルの棒の長さを、１万分の１ミリメートル程度縮める

ような、人間の感覚では何も感じないほどのほんの少しの変化で
しかないから。

　こんな小さな影響はあってもなくても同じだと思うかもしれま
せんが、そんなことはありません。
　Chapter 3 では、ナビの実用化においてGPS衛星の時間の遅れ
を補正することが大事だというお話をしました（170ページ参照）
が、まさにこれは地球が周りの時空を曲げることで起こる現象な
のです。

ブラックホールと
一般相対性理論

　ここまで、相対性理論と時空についてお話ししてきましたが、時空の曲がりが極端な形で現れた現象があります。それは、ブラックホールです。

ブラックホールの仕組み

　たとえば、直径およそ1万2,700キロメートルの地球の重さ（質量）は、およそ$5.97×10^{24}$トン（ちなみに、地球質量は1 M⊕という単位を使って表され、1 M⊕＝約$5.97×10^{24}$トン）。

　この質量のまま、地球を直径2センチメートル程度に縮めると、ブラックホールになります。

　世間では、ブラックホールはたった1つしかないというイメージをもたれているようですが、実際、宇宙には無数のブラックホールが存在することが分かっています。

　たとえば、私たちが暮らす銀河系の中心にも太陽の質量の約400万倍という巨大なブラックホールが存在します。

　ブラックホールでは、周りの時空がまるで下りのエスカレーターのように中心に向かって際限なく落ち込んでいます。ブラック

ホールに近づけば近づくほど、空間が速く落ち込み、ブラックホールの表面では光速（ c ）で空間が落下しています。

したがって、表面から外に向かって光を出しても、遠くから見ると光は永遠にその場所に留まっているように見えるでしょう。「見える」と書きましたが、「見る」というのはそこから出た光を受け取ることですから、正しくは見ることはできません。しいて言えば黒く見えるので、ブラックホールと呼ばれているのです。

ブラックホールから逃げられるのか?

ブラックホールの中では、時空は光速（ c ）以上の速度で落下しています。したがって、ブラックホールの中（周り）からいくら光速（ c ）で逃げようとしても、内向き（ブラックホールの中心方向）に進むしかありません。

いったんブラックホールの表面を通り抜けたものは何であれ、二度とブラックホールの外の世界には戻れないどころか、落ち込み続けているので、中で留まっていることすらできないのです。

ブラックホールの中には、星やチリなど何かしらの物質がぎっしり詰まっていると思うかもしれませんが、穴という名の通り空っぽ。物質だけでなく、時空そのものもブラックホールの中心に向かって落下していきます。

では、ブラックホールに落ち込んだ物質や空間は、一体どこに行くのでしょうか?

　現在の物理学では、ブラックホールの中に入った先を「**特異点**」と呼んでいます。しかし、その正体が分かっているわけではありません。

　現代物理学に残された数少ない未解決問題の1つが、この特異点の解明です。特異点は時空そのものが行き着く先なので、いわゆる「場所」ではありません。時間も空間もなく、物質もどのような状態になるのかも分かっていないのです。

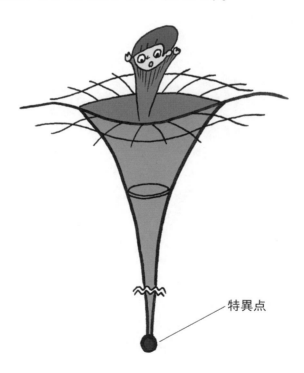

特異点

一般相対性理論は、特殊相対性理論の舞台であった時空そのものを対象とする理論で、時空（時間と空間）が運動することを予言します。

　ここでは、莫大な質量をもった天体の周りで落下している物体を考えてみましょう。

　一般的に、物体は天体の重力に引っ張られて落下していると考えますが、一般相対性理論では異なる考え方をします。その考えは、「**物体は空間に静止しているが、空間自体が落下している**」というもの。

　突然ですが、宇宙ステーション内が無重力である理由を知っているでしょうか？

　宇宙ステーションは、地球に向かって落下しながら、水平方向に運動しているため、地球の周りを回ることができます。

　一般相対性理論の考えに基づくと、宇宙ステーション内の宇宙飛行士たちは、そこの空間に静止しているだけ。落下しているのは、宇宙ステーション内の空間です。

　宇宙ステーション内の空間ではあらゆるものが静止しているので、内部にいる宇宙飛行士にとっては無重力のように感じるのです。

　一方、天体の上空で静止している時計（地球の周りを回っていない）を考えると、この時計は落下する空間に対して逆方向に運動していることになります。したがって、遠くの人（重力がなく、空間は運動していない）から見ると、その時計はゆっくりと時間

が進んでいることになるのです。

　一般相対性理論のおかげで、ブラックホールが宇宙に存在することなど、多くの天体現象を説明することができ、さらにGPSによるナビシステムが正常に働き、私たちを正しい場所に連れて行ってくれることが可能になりましたが、「ブラックホールの中では時空も中心に向かって落下し、特異点で消える」という事象も起きているということになります。理論的には、時空そのものが消えてしまうと言えます。

　時空そのものが消えるというのは想像をはるかに超えた現象であり、現実世界ではなく、まるでSF世界のようです。

シュレーディンガーの猫と量子力学

　科学には、本当に難しい理論や不思議な理論があります。人間の思考の限界を超える理論と言われているのが、「**量子力学**」です。

　ここまでお話しした相対性理論は聞いたことがあっても、量子力学は聞いたことがないという人も多いでしょう。しかし、量子コンピュータやシュレーディンガーの猫といった言葉を聞いたことがあるのではないでしょうか？

　実際、量子力学は日常生活のいたるところに潜んでいます。

　量子力学を一言で言うと、「ミクロの世界における物理学」。ミクロとマクロの境界は曖昧なのですが、そのことは207ページで詳しくお話ししましょう。

ミクロの世界におけるエネルギーの関係

　Chapter 1 でお話ししたように、原子核（＋）の周りを電子（－）が回っているのが、原子です（41ページ参照）。これは、地球が太陽の周りを回っているように、常に原子核が電子を引っ張っていることを意味します。

　引っ張る力は、太陽と地球の場合は「重力」ですが、原子核と電子の場合は「電気の力」です。

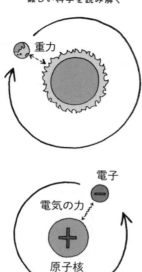

つまり、電子は常に力を受けて運動しています。

19世紀に完成された電磁気学（後の古典電磁気学、または古典電気力学）によると、電子に限らず電荷をもった物体は次の2つの性質をもっていると言います。

● **ほかの電気をもった物体から力を受けて運動（加速度運動）する性質**

● **加速度運動をすると電磁波を出してエネルギーを失う性質**

つまり、原子核の周りの電子は加速度運動をしているので、エネルギーを失って、どんどん原子核に近づき、最後は原子核内の陽子に吸い込まれて衝突します。電子が陽子とぶつかると、プラスの電荷とマイナスの電荷が合わさって中性になるので、陽子が

中性子に変わるはずです。

　たとえば、水素原子（H）の中の電子について、陽子と衝突するまでの時間を計算してみます。すると、1,000万分の1秒程度という非常に短い時間で陽子に吸い込まれてしまいます。

　もしそんなことが起こったら、原子の中の電子はエネルギーを失い、陽子に吸い込まれることになります。その結果、宇宙に原子は存在し得ません。もちろん、私たち生物も原子の塊なので存在しません。

　つまり、前述した「原子の中で電子がエネルギーを失って陽子に吸い込まれる」という電磁気学の考えは、明らかに間違っているのです。この間違っている点を解明したのが、量子力学です。

　加速した電子が電磁波を出してエネルギーを失うことは、原子の中にいる電子（何かの力で閉じ込められている状態を**束縛状態**と言います）には成り立ちません。

　Chapter 2に登場したルイ・ド・ブロイ（112ページ参照）は、その理由として、「電子は粒子でもあるが波でもあるから」と考えました。

　つまり、原子核の円周の長さが、電子の波の整数倍のときに限り、電子が一周した際に波がズレることなく繋がります（一周したあと、はじめの波の高さにきちんと戻ってきます）。そのときに限り、電子は原子の中で安定して存在できると言うのです。

　このとき、電子の波は変化しないため、電磁波を出しません。

また、エネルギーを失わないので、陽子に吸い込まれることもないのです。

　反対に、電子が原子に束縛されておらず自由に空間を飛び回っているときは、古典電磁気学が成り立つと言います。

ド・ブロイの物質波

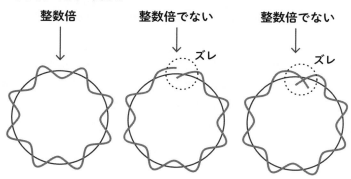

原子核の円周の長さが

整数倍　　　　**整数倍でない**　　　　**整数倍でない**

電子は粒子かつ波でもあることを示した実験

「電子は粒子でもあり、波でもある」ことは、実験でも示すことができます。

電子が波であることを説明する前に、まずは水面に生じる波にまつわる実験をご紹介しましょう。

大きな水槽を用意して、水を入れます。水面の１ヶ所を波源（波を起こす場所）とします。

次に、同じ長さの板を２枚用意します。１枚（板Ａ）は、２ヶ所に水が通る穴を開け、波源と水槽の壁の真ん中に置きます。

もう１枚は、穴を開けず、板Ａの後ろ（波の波長よりある程度長い距離で波の振幅があまり小さくならない距離）に板Ａと平行に置きます。

最後に、波源の水面を上下させて、波をつくり続けます。

すると、波源で発生した波は板Ａにぶつかって止まりますが、２つの穴から波が漏れ出て、そこから２つの波が広がっていきます。板Ｂには、板Ａの２つの穴から出た波が、強めあったり弱めあったりして届きます。その結果、板Ｂには波の強弱によって、波が高いところと来ないところが交互に現れます。

波が強めあったり弱めあったりするのは波の特徴であり、その

現象を**波の干渉**、干渉によってできた波の強い部分と弱い部分が繰り返されるパターンを**干渉縞**と言います。

　1927年、電子を使った同じような実験が行われました。

　電子を打ち出す装置と2つのスリットが入ったスクリーン（スクリーンA）、その後ろに届いた電子を記録するスクリーン（スクリーンB）を置きます。電子がスクリーンにぶつかると、そこに点を打ちます。

　電子が粒子だとすると、スリットAを通り抜けた電子だけがスクリーンBに届くはずです。したがって、スクリーンBにはスリットの延長線上にいくつもの点が現れるでしょう。

　しかし、実際に実験してみると、スクリーンBには点が干渉縞をつくるように分布します。

　電子は疑いもなく粒子です。では、干渉縞をつくった波は何なのでしょうか？

　電子は粒子なので、電子の集団が波として振る舞うと思うかもしれませんが、そうではありません。このことを明確に否定する実験があります。

　電子銃が1個の電子を打ち、スクリーンBに点が現れてから、次の電子を1個打つように設定すると、スクリーンBに点がランダムで現れます。しかし、ランダムに現れていたように思えた点は、数が多くなるにつれて、分布が干渉縞の模様になっていくのです。

つまり、スクリーンBに1個1個の点がランダムに現れたことで、電子の集団が波として振る舞っているわけではないことが分かります。

　すると、電子1個の波が、2つのスリットを通ってスクリーンBに届いたと考えられますが、これは不可能。なぜなら、1個の電子（粒子）が同時に2つの場所に存在することはあり得ないからです。

　では、電子がスリットを通るまでに2つに分裂して、その後また合体して電子になったのでしょうか？
　いいえ、未だかつて電子の破片などは観測されたことがありません。つまり、1個の電子は1個の電子としてしか観測されないのです。

　電子が干渉縞をつくることに対して、量子力学では次のように考えます。
「電子は粒子であるが、ある場所では確率0.5で存在し、別の場所では確率0.1で存在する」
　つまり、電子の存在確率が広がっていて、その広がりが波として振る舞っているのです。

　この解釈をスリットの実験に当てはめると、確率の波が2つのスリットを通り抜け、干渉してスクリーン上に存在する確率の高

二重スリットの実験

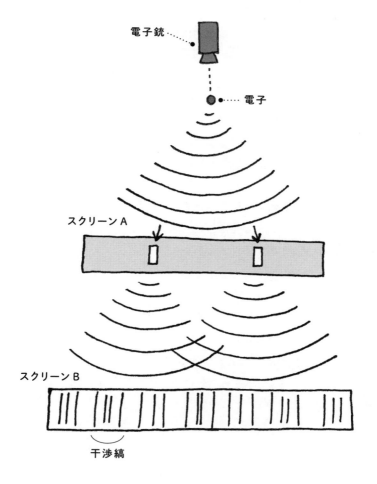

電子銃

電子

スクリーンA

スクリーンB

干渉縞

いところが縞模様となり、そこで電子が多く観測されるため、点の分布が干渉縞となるのです。

存在は確率的であるのか

　ミクロの世界の存在というのは、二重スリットの実験で示されたように確率的な存在でしかありません。

　この確率の波を**波動関数**と言い、波動関数の振る舞いを決める方程式を**シュレーディンガー方程式**と言います。

　この方程式の名前になっているオーストリアの物理学者エルヴィン・シュレーディンガーは、確率的な存在という概念を受け入れず、実在の波と考えようとしました。

　ちなみに、アインシュタインも波動関数を確率の波とする解釈に反対しました。存在は観測する人や装置とは無関係に実在するという立場に固執したからです。

　アインシュタインは、量子力学に対する反対の気持ちを「神はサイコロを振らない」「月を見ているときだけ月が存在していると信じるのか？」などの言葉として残しています。

　存在が確率的であることは、シュレーディンガーやアインシュタインならずとも理解不能な解釈でしょう。

　しかし、この考えを利用することで、量子力学は驚くべき発展

を遂げ、半導体技術など現代の科学技術の基礎になっていったのです。

ミクロとマクロの境を考えるシュレーディンガーの猫

シュレーディンガーとアインシュタインは、さまざまな例を生み出し、量子力学の「存在は確率的である」という解釈に異議を唱え続けました。そのうちの1つが、1935年に実施した「シュレーディンガーの猫」と呼ばれる思考実験です。

中が覗けない箱を用意して、その中に猫と毒ガス放出装置を入れて閉じ込めます。毒ガス放出装置には、ある放射性元素を入れておき、それが放射能を出してほかの元素に変わる（崩壊する）と、毒ガスが出るようにしておきます。

かわいそうですが、毒ガスが出ると猫は死んでしまいます。放射性元素はミクロのため量子力学的な対象で、その崩壊する確率は1時間当たり50%とすると、1時間後の放射性元素の状態は、そのままの確率が0.5であり、崩壊している確率が0.5。

つまり、観測しない限り、箱の中ではどちらの状態も半々の確率で存在しています（**状態の重ね合わせ**）。箱の窓を開けたとき、どちらの状態かが確定します。

私たちの常識では、窓を開けたときに猫が死んでいれば1時間の間のどこかで放射性元素が崩壊しているはずです。

しかし、放射性元素が量子力学的な対象である限り、窓を開け

るまでは、そのままか崩壊しているかが同じ確率で共存しています。

　一方、猫は生きた状態と死んだ状態が半々の確率で存在するということはあり得ません。

　このことから、シュレーディンガーは「量子力学は不完全である」と主張したのです。

　では、本当に量子力学は不完全なのでしょうか？

　シュレーディンガーの思考実験では、箱の中に猫と毒ガス放出装置が入っていました。猫は明らかにマクロな世界に生きているため、箱を開けたときに猫が生きていれば、箱を開ける前から猫は生きている状態が継続しています。

　一方、毒ガス放出装置全体は、量子力学的なミクロな対象と考えています。なぜなら、猫と同様に毒ガス放出装置全体がマクロであれば、量子力学的な状態の重ね合わせが容易に崩れてしまうからです。

　たとえば毒ガス放出装置がマクロの場合、状態の重ね合わせがないので、猫が生きた状態と死んだ状態が半々の確率で存在することは決してありません。毒ガスが放出された状態か、放出されていない状態かのどちらかに確定してしまうのです。

　このように、物体がマクロかミクロかによって結果が異なります。技術の進歩によってマクロのものをミクロの状態で維持できるようになると、マクロのものをミクロとして扱うことができるため、ミクロとマクロに決まった境界はありません。

シュレテンガーの猫

中を覗けない箱

毒ガス
放出装置

50%   50%

窓

死んだ状態の猫   生きた状態の猫

　つまり、思考実験「シュレーディンガーの猫」では、ミクロと
マクロの境はどこにあるのかという疑問をも考えさせられること
になるのです。

リーマン予想

「リーマン予想」という言葉を聞いたことがありますか?

1859年にドイツの数学者ベルンハルト・リーマンが提唱した「すべての素数を導き出す公式」に関する予想であり、数学の未解決問題の1つです。リーマン予想を証明すれば、アメリカのクレイ数学研究所から100万ドルの賞金が与えられる最難易度の問題と言われています。

リーマン予想の提唱には、主に3人の人物が関わっています。1人目は提唱者のリーマン、2人目はChapter 2でも登場したレオンハルト・オイラー、3人目はドイツの数学者フリードリヒ・ガウスです。

リーマン予想は、幾人もの数学者たちが挑戦したものの、未だ解明されていません。一筋縄ではいきませんので、1つずつ紐解いていきましょう。

リーマン

オイラー

ガウス

オイラーと素数とガウスの考え方

　1772年、n=31のときメルセンヌ数が素数になることを証明したオイラー（Chapter 2、116ページ参照）は、**ゼータ関数**と素数の関係を表す次の公式を発見しました（ゼータ関数は、212ページで詳しくお話しします）。

【オイラー積】

（左辺）

$$1+\frac{1}{2}+\frac{1}{3}+\frac{1}{4}+\frac{1}{5}+\frac{1}{6}+\cdots\cdots$$

（右辺）

$$=\frac{1}{1-\frac{1}{2}}\times\frac{1}{1-\frac{1}{3}}\times\frac{1}{1-\frac{1}{5}}\times\frac{1}{1-\frac{1}{7}}\times\frac{1}{1-\frac{1}{11}}\times\cdots\cdots$$

　この等式は、**オイラー積**と呼ばれます。

　右側の式（右辺）の分母に現れる 2，3，5，7，11，……はすべて素数です。この式の面白いところは、左側の式（左辺）のすべての整数を使った足し算が、すべての素数を使った掛け算になっているところです。

　このオイラー積は、素数にまつわるさまざまな定理を証明できるため、素数に関する功績であると言えます。

オイラー積を使って、次なる功績を残したのがガウスです。

素数の謎において、多くの研究者たちは「どこに素数が現れるのか」を考えていましたが、ガウスは「**ある整数までに素数がいくつ現れるのか**」を考えました。このガウスの考え方によって、素数の研究は急激な進歩を遂げることになります。

ガウスの考え方では、オイラー積の右辺が関係します。まずは、ある数Nが素数になる確率を考えましょう。

素数は、1と自分自身よりも小さな素数で割り切れない数のことなので、「ある数Nが素数である確率」は、「ある数Nが、その数Nより小さな素数の倍数にならない確率の和」を求めればいいと考えたのです。

たとえば、5が素数である確率は、5が5よりも小さな素数である2や3の倍数にならない確率の和を求めるのです。

まず、ある数Nは整数（小数や分数ではない数のこと）であり、偶数か奇数です。偶数（2，4，6，8，……）は2の倍数なので、必ず素数2で割り切れます。そのため、偶数は素数ではありません。

したがって、最初に「ある数Nが偶数でない確率」を求めます。整数は必ず奇数か偶数になるため、ある数Nが偶数の確率は、整数全体を1とすると、$\frac{1}{2}$（＝0.5＝50％）です。

つまり、「ある数Nが偶数でない確率」は、整数全体（1）か

ある数Nが偶数でない確率の求め方

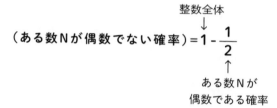

ある数Nが3の倍数でない確率の求め方

整数全体
↓
（ある数Nが3の倍数でない確率）= 1 - $\dfrac{1}{3}$
↑
ある数Nが
3の倍数である確率

らある数Nが偶数である確率（$\frac{1}{2}$）を引いた（$1-\frac{1}{2}$）で表せます。

　次は、２の次の素数である３を使い、「ある数Nが素数３の倍数でない確率」を求めます。３の倍数（３，６，９，12，……）は、必ず素数３で割り切れます。そのため、３つに１つの確率で３の倍数となり、ある数Nが３の倍数である確率は$\frac{1}{3}$です。

　つまり、「ある数Nが３の倍数でない確率」は、整数全体（１）からある数Nが３の倍数である確率（$\frac{1}{3}$）を引いた（$1-\frac{1}{3}$）で表せます。

　偶数や３の倍数でない確率を求めたときと同様に考えると、「ある数Nが５の倍数でない確率」は（$1-\frac{1}{5}$）と表すことができます。
　このように、ある数Nが各素数の倍数でない確率を求めていくのです。
　こうして「ある数Nが素数である確率」P(N)は、ある数Nより小さな素数（これをp_Nと書きます）を使って、次のように表されます。

【ある数Nが素数である確率】

$$P(N)=(1-\frac{1}{2})\times(1-\frac{1}{3})\times(1-\frac{1}{5})\times\cdots\cdots\times(1-\frac{1}{p\_N})$$

　このように、オイラー積の右辺の分母をp_Nで止めた式が出てきます。Chapter 2でお話ししたユークリッドの証明から素数は無限大に存在するとされている（114ページ参照）ので、Nが無限大（∞）ならば、式は次のようになります（次式になる過程が知りたい方は、217ページをご覧ください）。

【ある数Nが素数である確率：Nが無限大の場合】

$$P(N=\infty) = \cfrac{1}{\left(1 + \frac{1}{2} + \frac{1}{3} + \frac{1}{4} + \frac{1}{5} + \frac{1}{6} + \cdots\right)}$$

　つまり、無限に大きな整数が素数である確率P（N）の分母は、$1 + \frac{1}{2} + \frac{1}{3} + \frac{1}{4} + \frac{1}{5} + \frac{1}{6} + \cdots\cdots$（これを**調和級数**と言います。詳しくは、Chapter 2の119ページ参照）で表されることになります。

　ここで、ガウスは十分大きなある数Nに対して、それが素数である確率を次のように仮定し、「ある数Nまでの素数の数」を導くガウスの素数定理を予想しました（ガウスの素数定理ができるまでの過程を知りたい方は、217ページをご覧ください）。

　式の予想から100年以上経った1896年、フランスの数学者ジャック・アダマールとベルギーの数学者シャルル＝ジャン・ド・ラ・ヴァレ・プーサンによって別々に証明されました。

ガウスの素数定理とリーマン予想

　リーマンは、ガウスの素数定理に興味をもち、素数の数をより

正確に評価できる公式を求めて研究をはじめました。そのときに着目したのが、「**ゼータ関数**」とリーマンが名づけた次の関数です。

【ゼータ関数】
$$\zeta(s)=1+\frac{1}{2^s}+\frac{1}{3^s}+\frac{1}{4^s}+\cdots\cdots$$

ゼータ関数は、変数 $s=1$ のときに調和級数となる関数です。

【ゼータ関数（s = 1）】
$$\zeta(1)=1+\frac{1}{2}+\frac{1}{3}+\frac{1}{4}+\cdots\cdots$$

また、変数 s が1でない正の整数のときにも調和級数の場合と同じように、この和がすべての素数を使った積で表されます。

前述したオイラーは、すでにゼータ関数を使って変数 s が2の倍数の場合のみの計算をしていました。たとえば、次のような計算です。

【ゼータ関数（s = 2，4，6）】
$$\zeta(2)=1+\frac{1}{2^2}+\frac{1}{3^2}+\frac{1}{4^2}+\cdots=1+\frac{1}{4}+\frac{1}{9}+\frac{1}{16}+\cdots\cdots=\frac{\pi^2}{6}$$

$$\zeta(4)=1+\frac{1}{2^4}+\frac{1}{3^4}+\frac{1}{4^4}+\cdots=1+\frac{1}{16}+\frac{1}{81}+\frac{1}{256}+\cdots\cdots=\frac{\pi^4}{90}$$

$$\zeta(6)=1+\frac{1}{2^6}+\frac{1}{3^6}+\frac{1}{4^6}+\cdots=1+\frac{1}{64}+\frac{1}{729}+\frac{1}{4096}+\cdots\cdots=\frac{\pi^6}{945}$$

数の分類

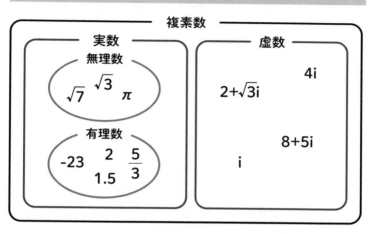

この式から分かるように、ゼータ関数の値ζ（s）は変数 s が大きくなるにつれて分母が大きくなるため、値自体はだんだん小さくなります。

一般的に、変数 s が偶数のときの値は知られていました。級数は変数 s が 1 以上のときに有限の値をもつので、このゼータ関数はもともと s ＞ 1 の実数の範囲でしか意味がないと考えられていたのです。

実数とは、有理数（1、$\frac{1}{2}$、−3など）と無理数（π、√2など）を合わせた数のことです。

しかし、リーマンは変数 s として複素数を考えました。複素数（z）とは、実数と虚数を合わせた数のことで、x と y が実数の

ときz=x+iyと表されます。yの左側についているiは虚数単位であり、2乗すると−1(i^2=−1)になる不思議な数です。

　また、z=x+iyのとき、xを複素数zの**実部**、yを複素数zの**虚部**と言います。実数は、複素数の虚部が0の数ということになったのです。

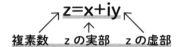

　そこで実数の世界を水平に直線で表し、縦方向に虚部の値をとって複素数全体を2次元平面で表したものを複素数平面、あるいはガウス平面と言います。

　ガウス平面の中心が実部も虚部も0の点です。その点から右に行けば実部が正（＋）、左に行けば負（−）、上に行けば虚部が正（＋）、下に行けば虚部が負（−）になるわけです。

　ガウス平面で考えると、オイラーなどが考えていたもともとのゼータ関数は実軸上、それもs>1の範囲だけで実数の値をとる関数で、大きな実数に対して（実軸の右側に行く）その値がだんだん小さくなっていきます。

　リーマンは実軸上だけでなく、虚数を含むガウス平面全体でゼータ関数を考えることにしたのです。

　したがって、リーマンのゼータ関数は、ガウス平面上の一点一

点にある複素数の値が対応するような関数です。虚部を忘れてゼータ関数の実数の値だけを考えると、ガウス平面上にある高さの山があったり谷があったりするような形になります。

　山があったり谷があったりすると言いましたが、それはゼータ関数が振動するということです。より大きな実軸上では、1が振動せずに小さくなる一方でしたが、複素数を考えるとゼータ関数は振動しはじめて、ガウス平面上で0になる点が無数に現れるのです。

　リーマンは、ガウスの素数定理が与える素数の数と実際の素数の数との違いが、このゼータ関数が0になる点（零点）のうち、ある特定の零点周りのゼータ関数の振る舞いで表されることを発見しました。

　さらに、この特定の零点が、$z = \frac{1}{2} + iy$ の形に書けること、すなわちガウス平面上で実軸上の $\frac{1}{2}$ を通り、縦にまっすぐ伸びた直線上にあることを予想しました。これが、リーマン予想です。

リーマン予想は物理学にも影響を与える

　現在まで、最高の数学者たちがリーマン予想の証明に挑んでおり、$\frac{1}{2} + iy$ の直線上に零点は無限にあること、虚部 y の小さいほうから10兆個の零点がこの直線上にあること、さらに零点の実部が必ず0から1の間にあることなどが分かっています。

　また、ガウスの素数定理の証明にはこれらのことで十分なこと

も知られていますが、未だにリーマン予想が正しいことは証明されていません。

　リーマン予想が重要なのは数学だけに限りません。そもそも素数との関係で出てきた予想ですが、ゼータ関数のガウス平面上での零点の間隔がウランなどの複雑な構造の原子核がとり得るエネルギー状態の間隔とよく似ていることが指摘されています。

　そのような原子核の状態を記述するために用いられた方法が物理学のほかの分野（たとえば、超弦理論）にも表れるため、リーマン予想が超弦理論とも関係している可能性があります。

　超弦理論は物理学の最終理論の1つの有力な候補であり、それがリーマン予想を通して素数と関係しているのかもしれません。

　ちなみにリーマン予想が証明されたからといって、少なくとも現在の理解では莫大な桁数の素因数分解が一瞬でできるわけではありません。したがって、素因数分解の難しさの上で成り立っている現在のIT社会が崩壊することはないのでご安心ください。

　とはいえ、コンピュータ技術の発達が目覚ましいので、素因数分解を一瞬にして行うことが可能になるかもしれません。それには現在各国が競って開発している量子コンピュータの話になりますが、話が発散しすぎるのでここで止めておきましょう。

ガウスの素数定理ができるまで

　207ページからオイラー積にまつわる証明とガウスの素数定理についてお話ししましたが、数式が多くなるため本文では詳しい流れを割愛しました。

　どのような過程を経ているのか詳しく知りたい方は、こちらをご覧ください。

1．オイラー積における「ある数Nが素数になる確率」の証明 （Nが無限大の場合）

　210ページでは、オイラー積の右辺の分母をp_Nで止めた式が出てきました。素数は無限大に存在するとされているので、Nが無限大（∞）ならば、式は次のようになります。

【ある数Nが素数である確率：Nが無限大の場合】

$$P(N=\infty) = \cfrac{1}{\left(1 + \frac{1}{2} + \frac{1}{3} + \frac{1}{4} + \frac{1}{5} + \frac{1}{6} \cdots\right)}$$

　この等式が成り立つことを簡単に見てみましょう。まずこの式の右辺の分母をXとおきます。

$$X = 1 + \frac{1}{2} + \frac{1}{3} + \frac{1}{4} + \frac{1}{5} + \frac{1}{6} + \frac{1}{7} + \frac{1}{8} + \frac{1}{9} + \cdots$$

　このXを2で割ると、次式になります。

$$\frac{X}{2} = \frac{1}{2} + \frac{1}{4} + \frac{1}{6} + \frac{1}{8} + \frac{1}{10} + \frac{1}{12} + \frac{1}{14} + \frac{1}{16} + \frac{1}{18} + \cdots$$

　これをもとのXから引くと、分母が偶数（２の倍数）である項がなくなります。

$$X - \frac{X}{2} = \overbrace{(1 + \frac{1}{2} + \frac{1}{3} + \frac{1}{4} + \frac{1}{5} + \cdots)}^{X} - \overbrace{(\frac{1}{2} + \frac{1}{4} + \frac{1}{6} + \frac{1}{8} + \cdots)}^{\frac{X}{2}}$$

$$= 1 + \frac{1}{3} + \frac{1}{5} + \frac{1}{7} + \frac{1}{9} + \cdots$$

　次にこの式の左辺をYとおき、Xでくくります。

$$Y = X - \frac{X}{2} = X(1 - \frac{1}{2})$$

　Yを３で割り、もとのYから引くと、Xのとき同様、右辺には分母が３の倍数である項がなくなります。

$$Y - \frac{Y}{3} = \overbrace{(1 + \frac{1}{3} + \frac{1}{5} + \frac{1}{7} + \frac{1}{9} + \cdots)}^{Y} - \overbrace{(\frac{1}{3} + \frac{1}{9} + \frac{1}{15} + \frac{1}{21} + \frac{1}{27} \cdots)}^{\frac{Y}{3}}$$

$$= 1 + \frac{1}{5} + \frac{1}{7} + \frac{1}{11} + \cdots$$

　さらに、$Z = Y - \frac{Y}{3} = Y(1 - \frac{1}{3}) = X(1 - \frac{1}{2})(1 - \frac{1}{3})$ として $Z - \frac{Z}{5}$ を計算すると、５の倍数が分母になる項が消えていきます。これをずっと続けていくと、オイラー積が得られるのです。

$$X(1 - \frac{1}{2})(1 - \frac{1}{3})(1 - \frac{1}{5})\cdots = 1$$

2．オイラー積から発展したガウスの素数定理

　ガウスは、オイラー積における十分大きなある数Nに対して、それが素数である確率を次のように仮定し、「ある数Nまでの素数の数」を導くガウスの素数定理を予想しました。

【ある数N（十分大きな数字）が素数になる確率（仮定）】

$$P(N) \sim \cfrac{1}{\left(1 + \cfrac{1}{2} + \cfrac{1}{3} + \cfrac{1}{4} + \cdots + \cfrac{1}{N}\right)}$$

※式にある記号˜は、大体等しいという意味です

　さらに、この式の右辺の分母は対数関数logNとほぼ同じである（近似できる）ことが知られています。ここは過程でしかないので、こういうものだと思って読み進めてください。対数関数は、「Nが非常に大きな数のときには同じもの」だということです。

【ある数N（十分大きな数字）が素数になる確率（仮定）】

$$P(N) \sim \frac{1}{\log N}$$

　求めたいのは、「2からN（十分大きな整数）までの素数の数」なので、Nより小さい整数mごとの確率 $\frac{1}{\log m}$ を足し合わせていけばよいのです。

　この足し合わせは積分で表せますが、おおざっぱに言えばNまでの素数の数 $\pi(N)$（これはガウスが使った記号です）は、次のように近似できます。

【ある数Nまでの素数の数】

$$\pi(N) = \int_2^N \frac{dm}{\log m} \sim \frac{N}{\log N}$$

これが、**ガウスの素数定理**と呼ばれるものです。

———— 精度が高いガウスの素数定理 ————

ガウスの素数定理は、あくまで予想ですが、Nが大きくなれば なるほど、素数の数がとてもよい精度で算出されることが分かっ ています。

たとえば、Nが100万=10^6だと$\pi(10^6)$=78,498ですが、$\frac{N}{\log N}$の 式で評価すると72,382となり、8％程度の誤差となります。

しかし、Nを100億=10^{10}とすると$\pi(10^{10})$=455,052,511です。 $\frac{N}{\log N}$では434,294,482となり、誤差は5％程度となります。

【ガウスの素数定理　N=10^6、10^8】

N=10^6)

$$\pi(10^6) = \int_2^{10^6} \frac{dm}{\log m} = 78,498$$

$$\frac{10^6}{\log 10^6} = 72,382$$

$$1 - \left(\frac{72382}{78498}\right) = 1 - 0.92208\cdots\cdots$$

$$= 0.07792\cdots\cdots$$

$$\fallingdotseq 8\%$$

N=10^{10})

$$\pi(10^{10}) = \int_{2}^{10^{10}} \frac{dm}{\log m} = 455{,}052{,}511$$

$$\frac{10^{10}}{\log 10^{10}} = 434{,}294{,}482$$

$$1 - \left(\frac{434294482}{455052511}\right) = 1 - 0.95438\cdots\cdots$$

$$= 0.04562\cdots\cdots$$

$$\fallingdotseq 5\%$$

　さらに、正確な積分の式で評価すると、Nが100万（10^6）のときの正確な数778,498との違いはたったの130個となり、誤差は0.08%以下です。

　Nが100億（10^{10}）のときの正確な数との違いは3,104個となり、誤差は0.0007%という驚くべき正確さになるのです。

「万物の根源」の追求から 生まれた超弦理論

　最後に、アインシュタインの見果てぬ夢だった「物理学の最終理論」と言われている**超弦理論**のお話をしましょう。

　物理学の最終理論とは、リンゴの落下や電気の力、星の動きなど、あらゆる自然現象を説明できる理論のこと。これは、人類が古くから問いかけてきた「万物の根源は何か」という疑問の答えを探ることでもあります。

　超弦理論についてお話ししていくために、まずは原子や素粒子、それらに働く力について紐解いていきましょう。

「万物の根源」における論争と原子の存在の解明

「万物の根源」については、さまざまな意見がありました。

　ターレスは水、ヘラクレイトスは火、ピタゴラスは抽象的な数など。その中で、デモクリトスは「万物の根源は原子論である」と唱えたのです。しかし、大勢の科学者は否定したため原子の存在はすぐに広く受け入れられたわけではありませんでした。

　原子論は、あくまで化学反応を便利に解釈する考え方であるという意見も強かったのです。なぜなら、原子があまりに小さすぎるため、その存在を証明する手段がなかったから。

　しかし、1905年にアインシュタインが「微粒子が動く平均的な距離」を導いたことから、原子の存在が広く受け入れられるようになったのです。

　アインシュタインは、**ブラウン運動**の考え方を使って、微粒子の運動の様子を理論的に調べました。

　ブラウン運動とは、水に浮かぶ微粒子が不規則に細かくジグザクに動くことです。もし原子が存在すれば、ブラウン運動の原因は、水が莫大な数の水分子（H_2O）からできていて、その水分子（H_2O）が絶えず微粒子に衝突するためだと考えられます。

　実際にこう考えて室温程度で評価してみると、個々の水分子は秒速数百メートルという速度で、１秒間に1,000万回程度微粒子に衝突していることが分かったのです。

ブラウン運動

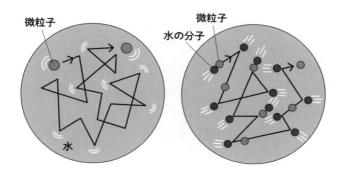

微粒子

微粒子
水の分子

水

アインシュタインは、個々の微粒子の瞬間、瞬間の運動を考えたわけではありません。実際の観測では、いくつもの微粒子の何十秒という時間の運動が測定されるので、水分子の衝突時間よりも十分長い時間にわたる微粒子の平均的な運動を調べました。その結果から、微粒子が移動する平均的な距離を導いたのです。

　アインシュタインが導いた「微粒子が動く平均的な距離」の結果は、フランスの物理学者ジャン・ペランによって確かめられ、水分子（H_2O）という原子の存在は疑いようがなくなったのです。

ミクロの粒子の種類と働く力

　その後、Chapter 2 でご紹介したように原子の構造と原子核が解明され、原子はどこまで分割可能なのかなど、よりミクロの世界への探索へと科学者の研究テーマは進んでいきます。

　一般的にミクロの世界の粒子（原子や分子など、またそれらより小さなものの総称）は、質量や電荷のほかに「**スピン**」と呼ばれる大事な性質をもっています。これは量子力学に特有で、マクロの粒子（一般的に原子よりも大きいもの）に当てはめると自転に相当します。

　マクロの粒子はどんな速度でも自転することが可能ですが、ミクロの粒子はそうはいきません。

　スピンはその粒子に固有の性質であり、値は整数か半整数（$\frac{1}{2}$ や

$\frac{3}{2}$）しかとることができず、スピンが半整数の粒子と整数の粒子に分けられます。スピンが半整数の粒子を**フェルミオン**、スピンが整数の粒子を**ボソン**と言い、フェルミオンとボソンには決定的な違いがあります。

　フェルミオンは、物質を構成する素粒子であり、核子や電子が該当します。2つの同種のフェルミオンは、同時に同じ状態をとることができません。

　これは量子力学の基本的な性質の1つであり、発見したドイツの物理学者ヴォルフガング・パウリの名前から、「**パウリの排他原理**」と名づけられました。物質がつぶれない究極の理由は、フェルミオンからできているためです。

　一方、**ボソン**は、力を生み出す素粒子であり、光子（光の粒）などが該当します。フェルミオンと違って、同一のボソンは何個でも同じ状態になれるため、無数の粒子を詰め込むことができます。

　この2つのミクロの粒子の間には、力が働いています。「**電磁気力**」「**核力**」「**弱い力**」「**重力**」の4種類あり、力の伝わる仕組みはどれも同じです。実際に、電荷をもった粒子の間に働く電磁気力を例に考えてみましょう。

　電子や陽子など電荷をもっている粒子は、常に光子（ボソンの一種）を出したり、吸収したりしています。光子はほかの粒子にまとわりついていて離れることができないのですが、すぐそばに

電荷をもった粒子がやってくると、一方の粒子が出した光子を他方の粒子が吸収することが繰り返されます。その結果、2つの粒子の間に力が働くのです。

　このように、フェルミオンの間でボソンが交換されることによって力が働き、どのような種類のボソンが交換されるかで力の種類が決まります。このとき、交換されるボソンは、フェルミオンの性質によって決まります。

パウリの排他原理

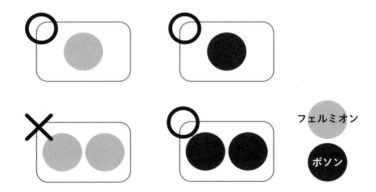

フェルミオン

ボソン

技術の発展と粒子の分類

1900年代前半、原子が物質の最小単位でないことや、原子核が陽子と中性子から構成されていることなどが明らかになったものの、陽子や中性子がそれ以上分割できるかどうかまでは、まだ分かっていませんでした。

1950年代に入り、加速器実験により多くの粒子が発見されたため、粒子の分類が盛んに研究されました。

しかし、あまりにも多くの粒子が発見されたため、研究者たちは粒子の分類に困っていました。

そんな中、1964年にアメリカの物理学者マレー・ゲルマンとイスラエルの物理学者ユヴァル・ネーマンのグループと、アメリカの物理学者（後に神経生理学者となる）ジョージ・ツヴァイクが、別々にクォーク模型を提案しました。

クォークの大きさは、1,000億分の1ミリメートル、つまり陽子の2,000分の1以下で、物質の最小単位である素粒子のグループの1つです。

それまでに発見された粒子は、バリオン、メソン、ハドロン、レプトンの4つに分類されていましたが、クォーク模型の登場により、「ハドロンは分割可能で、クォークと呼ばれるより基本的な粒子（素粒子）からできている」ことが示せるようになったの

です。

このクォークによって粒子を分類したものを、**クォークモデル**と言います。

【クォークモデルができるまでの粒子の分類】
- **バリオン**……核子（陽子と中性子）の仲間
- **メソン**……中間子（１つのクォークと１つの反クォークから構成される粒子）の仲間
- **ハドロン**……バリオンとメソンによってできる
- **レプトン**……電子の仲間

クォークの発見によって多数の粒子を分類できたことで、「万物の根源」に迫る研究を進めることができているのです。

現代の物理学者が考える「万物の根源」と超弦理論

クォークモデルが提唱されてからも、技術の発展に伴って新たな粒子が発見されてきました。

そこで、現在の物理学者が万物の根源をどのように考えているかをご紹介しましょう。

物質の根源である2つの素粒子

まず物質の根源と考えるのは、物質を構成する素粒子のフェルミオンです。フェルミオンには、**クォーク**と**レプトン**があり、それぞれ世代と呼ばれる3つのグループに分けられます。

第一世代は、**アップクォーク**と**ダウンクォーク**のクォーク2つ、**電子**と**電子ニュートリノ**のレプトン2つ、計4種類のフェルミオンがあります。

現在の宇宙の物質は、ほぼすべてこの第一世代のフェルミオンからできており、陽子はアップクォーク2つとダウンクォーク1つ、中性子はアップクォーク1つとダウンクォーク2つから成り立っています。

第二世代は、チャームクォークとストレンジクォーク2つ、ミ

ューオン、ミューニュートリノのレプトン 2 つ、計 4 種類のフェルミオン。

　第三世代は、トップクォークとボトムクォークのクォーク 2 つ、タウオンとタウニュートリノのレプトン 2 つ、計 4 種類のフェルミオンがあります。

　第二世代レプトンのミューオンと第三世代レプトンのタウオンは、第一世代レプトンの電子とよく似た性質をもっていますが、これらは電子より重い素粒子です。

　なぜ第一世代と同じパターンで、第二世代と第三世代が存在するのかは、まだ分かっていません。

　一方、力を生み出す素粒子のボソン。力には、「電磁気力」「弱い力」「強い力」の 3 種類が存在します（Chapter 2 の94ページでご説明したようにとりあえず重力は無視します）。

　Chapter 2 で、「陽子と電子の間に働く力は核力である」とお伝えしましたが、陽子や電子よりも小さな素粒子はクォークからできており、陽子と電子に働く力ではなくクォーク同士に働く力がより基本的な力だと分かったため、代わりに**強い力**と名づけられました。

「電磁気力」を伝えるのは**光子**、「強い力」を伝えるのは**グルーオン**と呼ばれるボソンです。

　フェルミオンにおける 6 種類のクォークは、それぞれ色電荷と呼ばれる 3 種類の性質をもっています。グルーオンはクォーク間で色電荷をやりとりすることで、クォーク同士に引力である強い

素粒子の種類

フェルミオン

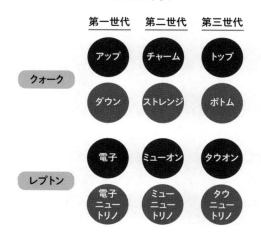

ボソン

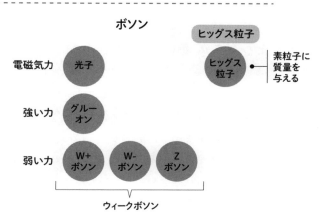

力が働き、ハドロンをつくっているのです。

「弱い力」はクォークの種類を変える力のことであり、「弱い力」を伝えるボソンは3種類の**ウィークボソン**です。

　たとえば、陽子は2つのアップクォークと1つのダウンクォーク、中性子は1つのアップクォークと2つのダウンクォークからできています。

　中性子は、原子核の外（核外）に出ると短い時間で崩壊してしまいます。中性子が崩壊する際、1つのダウンクォークが、ウィークボソンを出してアップクォークに変わり、出されたウィークボソンは電子と反電子ニュートリノに変わります。

　中性子が崩壊したことで、2つのアップクォークと1つのダウンクォーク、電子、半電子ニュートリノ、つまり陽子と電子、反電子ニュートリノに変わることになります。

ヒッグスの海に存在する生命

　ボソンには、力を生み出す役割以外に、もう1つの役割があります。それが、素粒子に質量を与える**ヒッグス粒子**です。真空は空っぽだと思うかもしれませんが、実はそうではありません。

　真空は、いちばんエネルギーが低い状態、つまりヒッグス粒子が空間を埋め尽くしている状態なのです。いわば、ヒッグスの海の中に私たちは存在しているのです。

中性子の崩壊による素粒子の変換

・陽子＝2つのアップクォーク＋1つのダウンクォーク

陽子 ＝ アップ アップ ＋ ダウン

・中性子＝1つのアップクォーク＋2つのダウンクォーク

中性子 ＝ アップ ＋ ダウン ダウン

── 中性子が核外に出てしまうと一定の時間の経過後、崩壊する ──

・崩壊の結果：
中性子に含まれる1つのダウンクォーク→アップクォーク＋電子＋
反電子ニュートリノ

ダウン → アップ ＋ 電子 ＋ 反電子ニュートリノ

つまり、中性子の崩壊＝
2つのアップクォーク＋1つのダウンクォーク＋電子＋反電子ニュートリノ

アップ アップ ＋ ダウン ＋ 電子 ＋ 反電子ニュートリノ

＝陽子＋電子＋反電子ニュートリノ

陽子 ＋ 電子 ＋ 反電子ニュートリノ

ヒッグスの海の中で運動するある種の素粒子は、質量をもつことになります。質量をもつということは、抵抗を受けることと言えるので、ヒッグスの海の中では本来は光速（c）で運動する素粒子の速度が遅くなるのです。

　しかし、光子だけは抵抗を受けません。そのため、光速（c）のままで運動でき、質量が0のままになります。

　1964年、ヒッグス粒子の存在が予言されましたが、実際に発見されたのは2012年でした。その発見により、私たちがヒッグスの海の中にいることが確実になったのです。

　さらに、ヒッグス粒子の存在によって「電磁気力」と「弱い力」の間に密接な関係があることが分かりました。これは、ヒッグスの海がない状況を考えるといいでしょう。

　ヒッグスの海がない場合、弱い力を伝える3種類のボソン（ウィークボソンではない何か）は質量をもたないため、光子のように質量が0となります。

　ヒッグスの海ができる以前の世界では、質量が0のボソンが4種類（ウィークボソンと光子）存在し、「電弱力」という力を伝えていたと考えるのです。

　その後、ヒッグスの海ができた際、4種類のうち3種類（正確にはある組み合わせでできた3種類）が質量をもったことで弱い力を伝えるウィークボソンになり、質量0のまま残った1種類のボソンが電磁気力を伝える光子になりました。

　つまり、ヒッグスの海の有無を考えることで、本来3種類だっ

た力が4種類に増えたのです。

　ヒッグスの海ができたのは、ビッグバンによって宇宙がはじまってから1,000億分の1秒後、温度が1,000兆度のときと、宇宙のごくごく初期のことでした。

素粒子標準モデルから超弦理論へ

　これが現在の素粒子の標準モデルと呼ばれるものですが、ずいぶん複雑だと思いませんか？

　なぜ、世代が3つもあるのでしょうか？

　12種類のフェルミオンと6種類のボソン、計18種類の素粒子が必要ですが、なぜそんなにたくさんの素粒子があるのでしょうか？

ヒッグスの海の有無を考える

ヒッグスの海が<u>ない</u>とき

3種類のボソン　　　　　　　＋　　　　光子　　　→ 電弱力を伝える
（質量0）　　　　　　　　　　　　　　（質量0）

W+ボソン　　W+ボソン　　Zボソン　　　光子

ヒッグスの海が<u>ある</u>とき

3種類のウィークボソン　＋　光子　　→ 弱い力と電磁気力を伝える
（質量あり）　　　　　　　　（質量0）

W+ボソン　　W+ボソン　　Zボソン　　　光子

また、それらは本当に分割不可能なのでしょうか？

　重力も含めると、粒子には4つの力があります。そのうちの「電磁気力」と「弱い力」はヒッグス粒子によって統一されましたが、残りの力との関係は明らかではありません。

　また、重力は全く考慮されていません。

　このように、量子力学の世界には、まだまだ多くの未解明の問題が残されているのです。

　「4-2 現代の物理学者が考える「万物の根源」と超弦理論」でお話ししてきた内容は、現代素粒子物理学の基本的な枠組みであり、**標準理論**と呼ばれています。

　標準理論では、18種類の素粒子が登場し、どの素粒子もこれ以上分割することはできないと考えられているため、「万物の根源は素粒子である」と言えそうですが、現代の物理学者の多くはそうは考えません。なぜなら標準理論には、非常に複雑かつ、未解決な問題が多いからです。

　素粒子と考えられている粒子は、本当にこれ以上分割できないのか？

　存在するすべての力はたった1つの力、つまり「万物の根源」となるものから導かれるのではないか？

　「標準理論は最終的な答えではない」と考えた研究者たちが、今も研究を続けているのです。そして、最終的な答えを探る研究の過程で現れたのが「ひも理論」、あるいは「超弦理論」と呼ばれ

るものです。

超弦理論では、現在素粒子と考えられている粒子が、すべて１本の「ひも」からできていると考えます。

クォークの大きさは1,000億分の１（10^{-11}）ミリメートル以下のため、ひもの長さはもっと小さく、一説では10^{-32}ミリメートルと考えられています。

なぜ、１本の「ひも」がさまざまな粒子を表すことができるのでしょうか？

両端を固定してぴんと張った弦を思い浮かべてください。弦を揺らすと、上下や左右に振動します。振動の節（弦が上下や左右方向に変化しない点）が多ければ多いほど、激しい振動になります。

振動のエネルギーは、振れ幅と振動の節が多ければ多いほど大きくなります。エネルギーと質量は等価なので、エネルギーが大きいということは質量が大きいということです。

超弦理論で考えるひもは、どんな装置でも見ることができないほど小さいので、私たちは激しい振動をしているひもほど質量が大きな粒子として観測します。

素粒子にはフェルミオンとボソンの２種類があるとお話ししましたが、超弦理論のひもはその振動の仕方でフェルミオンに見えたり、ボソンに見えたりする特別の仕組みをもっているのです。

フェルミオンとボソンを対等に扱う理論を**超対称性理論**、特別な仕組みをもった弦を「超弦」と言うため、ひも理論を超弦理論と呼びます。

　超弦理論の最も驚くべき性質は、重力子（グラビトン）と呼ばれる粒子を表す振動が存在することです。重力子とは、素粒子に働く４つの力のうち「重力」を伝える未発見の粒子。これもまた、未解決の問題の１つであると言えます。

　こうして超弦理論はすべてのフェルミオンばかりでなく、すべての力を伝えるボソンも１本の超弦の振動で表すことができます。そのため、「万物の根源は超弦である」と期待されているのです。

ひもと振動のエネルギー

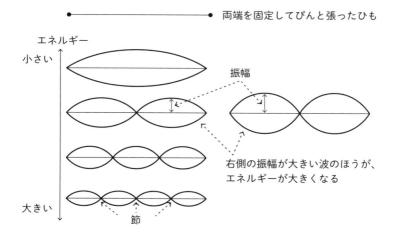

両端を固定してぴんと張ったひも

エネルギー
小さい
大きい

振幅

右側の振幅が大きい波のほうが、
エネルギーが大きくなる

節

時空の本当の次元は?

　しかし、単純に超弦理論が宇宙を表しているわけではありません。私たちは、時間1次元と空間3次元の4次元時空の中で生活していますが、超弦は4次元時空には住めません。なぜなら、超弦理論を数学的に矛盾のない理論にするためには、超弦の住む世界が時間1次元、空間9次元の10次元時空でなければならないからです。

　もし、超弦理論が正しいとすると、9次元空間のうち、私たちが生活している3次元分を差し引いた6次元が余分になります。この余分の空間はどこにいったのでしょうか?

　この問題には、2つの立場があります。

　1つめは、**余分な空間が観測できないほど小さく縮んでいるという考え**。

　突然ですが、細くて長いマカロニをイメージしてください。遠くから見ると1本の線のように見えますが、近づくと真ん中に穴が開いた円筒のように見えます。

　同様に、6次元空間が十分小さければ、3次元空間のように見ることができます。現在の研究では、余分な6次元空間の幾何学と、マクロな3次元空間で現れる力が関係していることが分かっています。

さらに、ミクロなスケールになるため、重力の法則が変わります（これを「重力が逆二乗則に従う」と言い、243ページのコラムでお話しします）。このことから、ミクロなスケールになると余分な空間の広がりが見えてきます。そのため、重力が余分の空間方向にも広がることになるのです。

　私たちが生活している地球のように、9次元空間を球面として考えてみましょう。
　n次元の球の体積は半径のn乗、表面積は1次元低い（n−1）乗になるため、9次元空間の球面の表面積は半径の8乗に比例します。したがって、ミクロなスケールでは「重力は逆八乗則に従う」ことになるのです。
　半径が半分になれば重力の強さは2の8乗、つまり256倍になります。
　重力が強ければ簡単にブラックホールもできてしまいますが、このような小さなブラックホールは非常に高温であるため、あっという間に蒸発してしまうことが解明されています。小さな小さな余分な空間が本当に存在するのなら、ミクロの世界ではブラックホールだらけかもしれません。

　2つめは、**余分な空間が私たちの生活している3次元空間と同程度、あるいはそれ以上に広がっているという考え**。
　大きく余分な空間が広がっていれば気づきそうですが、なぜ気づかないのでしょうか？

　なぜなら、「余分な空間は認識できない」と考えるからです。

　私たちの世界で働いている重力以外の3つの力（電磁気力、弱い力、強い力）が3次元空間の中に完全に閉じ込められていれば、余分な空間に気づきようがありません。

　残り1つの重力だけは、外の世界に漏れ出すことができますが、それはごくわずかなので気がつかないのです。

　実際、超弦理論を詳しく調べてみると、1次元的な弦以外にブレーンと呼ばれる広がりをもった弦が存在することが分かります。このブレーンには、弦の端がくっついていて、それが3次元空間に存在している私たちには素粒子のように見えるのです。

　弦の端がブレーンを離れることはありません。私たちが生活しているのは、6次元空間に浮かんだ3次元空間なのかもしれないのです。

6次元の世界

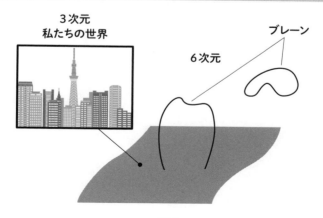

３次元
私たちの世界

ブレーン

６次元

超弦理論はすべての力を統一し、物質と時空をひもの振動という同等の枠組みの中でとらえる物理学の最終理論の有力候補ですが、同時に未完成な理論でもあります。

　超弦理論をブラックホール研究に適用し、面白い成果が上がっています。また、超弦理論の数学的構造はリーマン予想との関連があるため、その点でも注目されています。

　現状では何の実験的証拠もなく、本当にこの世界を支配する理論であるかどうかは不明ですが、今後の発展が期待される理論なのです。

重力が逆二乗則に従う

　240ページで、「重力が逆二乗則に従う」という言葉が出てきました。これは、重力源からの距離が遠くなればなるほど、重力の強さが弱まることを示しています。

　この現象は、重力だけでなく、明るさや音でも同じことが起こります。

　たとえば、さまざまな距離から電球を見て、その明るさを比べてみましょう。電球から１メートル離れた地点Ａと３メートル離れた地点Ｂでは、地点Ａよりも地点Ｂにおいて電球の明るさが暗く見えます。

　このとき、地点Ｂは地点Ａの３倍電球から離れているため、地点Ｂで認識する明るさは距離の２乗分の１（ここでは３の２乗分の１、つまり$\frac{1}{9}$）で暗くなっていくのです。

　つまり、逆二乗則では、電球や、音源、重力源から離れれば離れるほど、明るさや重力は距離の２乗分の１で弱くなっていくというわけです。

　ただし、この法則が成り立つのは、空間が３次元であることに

よります。

　なぜなら、３次元空間の場合、ある点を中心とする球の表面積（立体の表面の面積のことであり、Ｓと表します）は、半径（ｒ）の２乗に比例し（球の表面積を求める公式は、S=4πr^2で表せます）、重力の強さが球面全体に広がるためです。

　この逆二乗則は、万有引力の法則や磁力など、さまざまな物理法則において目にすることができますので、興味のある方はぜひ探してみてください。

地点Aと地点Bにおける明るさの違い

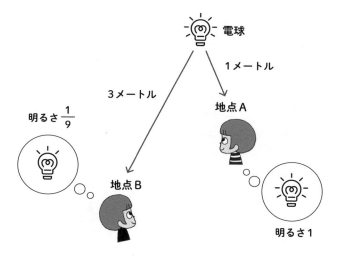

おわりに

　私の専門は宇宙物理学であり、特に宇宙論と一般相対性理論が該当します。一般には、役に立たない学問の代表のように受け取られているもの。

　本書でお話ししたように、科学といってもさまざまな分野があり、もちろん私はそのすべてについて最先端の研究を理解しているわけではありません。それにもかかわらず、本書を執筆したのは、何も日常生活がいかに科学の恩恵にあずかっているかを知ってもらいたいだけではありません。

　多くの人に、科学について少しでも興味をもってもらい、「科学とは何か」を考えてもらいたいからです。

　そこで1つ思い出したことがあります。

　数年前、東北大学で天文学会が開かれた際、一般向けの講演会がありました。そこでは、私を含めて3人の天文学者が、それぞれの専門についての話をしました。

　講演後、「私は人の役に立とうと思い、東北大学の薬学部に入りました。先生たちの学問は、何の役に立つのでしょうか？」という質問を受けました。たしかに、これは多くの人が思うことで、ときどき出てくる質問です。私は回答として、インドネシアのバンドン工科大学で宇宙論の集中講義をしたときの話をしました。「インドネシアは島国です。私が請け負っていた天文学の講義に

出るために、遠方の島の大学から何人もの学生が自費でやって来ました。予定よりも多い人数だったため、急遽広い教室に変更され、そこで講義を行いました。10年前にも天文学に興味をもつ学生はいましたが、実際に天文学を勉強する学生は少なかった……。なぜなら、もっとお金になる勉強をする必要があったから。インドネシアの研究者は、『天文学の勉強をする学生が増えたことは、国が豊かになった証』だとも言っていました」。

　本書でも触れましたが、一見役に立たないと思われていても実際に役立っていることが、科学にはたくさんあります。インドネシアで講義に参加した学生たちには、そもそも「役に立つか、立たないか」という考えが、はなから頭になかったでしょう。おそらく、純粋に知りたかったのだと思います。
　天文学は、1つの例にすぎません。不思議なことを純粋に知りたいと思うのは、人間の知性の自然な欲求です。科学に限らず、自然な知性の要求が満たされる環境は、社会の余裕と同じと言えます。ものの考え方や問題に対するアプローチの仕方など、科学を知ることによって学ぶことが多くあります。そこまででなくても、まずは科学の面白さや不思議さを感じ取っていただければ幸いです。

二間瀬敏史

著者紹介

二間瀬敏史（ふたませ・としふみ）

京都産業大学理学部教授
1953年、北海道生まれ。京都大学理学部を卒業後、ウェールズ大学カーディフ校応用数学・天文学部博士課程を修了。マックス・プランク天体物理学研究所、米・ワシントン大学研究員、東北大学大学院教授などを経て、現在は京都産業大学理学部宇宙物理・気象学科教授、東北大学名誉教授。一般相対性理論と宇宙論が専門。
著書には、『宇宙の謎 暗黒物質と巨大ブラックホール』（さくら舎）、『タイムマシンって実現できる？』（誠文堂新光社）、『宇宙用語図鑑』（共著、マガジンハウス）など多数。

本文デザイン/梅里珠美（北路社）

世界（せかい）が面白（おもしろ）くなる！
身（み）の回（まわ）りの科学（かがく）　　　　　　　〈検印省略〉

2021年　7　月　27　日　第　1　刷発行

著　者――二間瀬　敏史（ふたませ・としふみ）
発行者――佐藤　和夫
発行所――株式会社あさ出版
　　　　　〒171-0022　東京都豊島区南池袋2-9-9 第一池袋ホワイトビル6F
　　　　　電　話　03 (3983) 3225（販売）
　　　　　　　　　03 (3983) 3227（編集）
　　　　　F A X　03 (3983) 3226
　　　　　U R L　http://www.asa21.com/
　　　　　E-mail　info@asa21.com
　　　　　印刷・製本　神谷印刷（株）

　　　note　　　http://note.com/asapublishing/
　　　facebook　http://www.facebook.com/asapublishing
　　　twitter　　http://twitter.com/asapublishing

©Toshifumi Futamase 2021 Printed in Japan
ISBN978-4-86667-282-3 C0040